HOUGHTON MIFFLIN SOCIAL STUDIES

Across the Centuries

Home & Community Involvement

 HOUGHTON MIFFLIN

Boston • Atlanta • Dallas • Geneva, Illinois • Palo Alto • Princeton

To The Teacher

Family involvement in social studies learning is a goal of the Houghton Mifflin Social Studies program. The letters home in this booklet are intended to promote a link between school and home.

Here are the beginning and end-of-year overviews of the social studies program, plus a letter home with helpful information and suggested activities for each unit of the text. Teachers should send the first communication home with the students during the first few weeks of school. The unit materials should be sent home early in the study of each unit.

All Home Involvement materials are in English, Spanish, Chinese, Hmong, Khmer, and Vietnamese.

Printed in the U.S.A.
ISBN: 0-395-93254-8
6789-B-04 03 02

Table of Contents

Making the Connection

Establishing and Maintaining Contact with Families

Beginning-of-Year Letter

The beginning-of-year letter to families can be used to establish your initial contact. This letter informs families about the social studies content you'll be covering throughout the year, and about the value of participating in their child's education. This prepares them for the Home Involvement letters that you will be sending home.

Letters Home

The letters home—one for each social studies unit students will be exploring—can be used to maintain contact with families throughout the year. The letters give an overview of the unit content and provide related activities that families and children can enjoy together.

Multilanguage Home Involvement

The beginning and end-of-year letters and letters home are in English, Spanish, Chinese, Hmong, Khmer, and Vietnamese.

Planning and Conducting Family-Teacher Conferences

Planning Conferences

Regular conferences with families are an important part of the communication between home and school. Consider these suggestions:
- Schedule conferences at times that are convenient for families.
- The need to care for their other children may be keeping families at home. If it is possible to arrange for child supervision during the conference, invite families to bring their other children along.
- If families speak a language other than English, invite them to bring someone who can serve as an interpreter during the conference. If you can assist in such arrangements, offer to help.

Family-Teacher Conference Checklist

Prepare for the conference by filling out the Conference Checklist on page *v*. This checklist offers you a planning tool, as well as a suggested structure for the conference. It will move you through the following important points of a conference:
- sharing the child's portfolio materials
- asking for family members' assessment of the child
- sharing your own assessment of the child
- discussing the child's areas of strength and areas in need of support
- formulating a plan for how you and the family can work together to help the child both in school and at home

Making Families Feel Comfortable

Assure families that you recognize their child's strengths by beginning and ending the conference on a positive note. Encourage questions and comments. Family members may also have important information that can help you better understand their child.

Including Students in the Conference

Some students may be interested in active involvement in the conference: displaying their portfolios, responding to teacher or family assessments, and offering their own assessment of themselves.

Wrapping Up

Remember to end on a positive note so that families leave with the feeling that the needs of their child are being met.

Post-Conference Action Plan

Use the Post-Conference Action Plan on page *vi* for your notes. It will help you keep track of the family's concerns and the plans you come up with together to help the child.

Conference Checklist

Student: _____ **Student attending?** Yes No

Conference date and time: _____

Family members attending conference: _____

_____

Share materials from the student's portfolio. Identify items you want to share. _____

_____

Ask parents/family members to share how they think their child is doing. Discuss the reasons

for their feelings. _____

_____

Discuss the student's areas of strength. Identify examples to share. _____

_____

Discuss areas needing improvement. Identify examples to share. _____

_____

Share steps that will be taken in the classroom to help the student. _____

_____

Suggest steps parents/family members can take to help their child. _____

_____

Suggest steps the student can take to make better progress. _____

_____

Additional Notes _____

_____

Post-Conference Action Plan

Student: _____   **Student attending?**   Yes   No

Conference date and time: _____

Family members attending conference: _____

_____

Goals (discussed in conference). _____

_____

_____

Steps/Actions to Take

Teacher: _____

_____

_____

Family: _____

_____

_____

Student: _____

_____

_____

Additional Notes _____

_____

_____

_____

The Home-School Link

About the Houghton Mifflin Social Studies Program

Your child is about to begin a new year in the *Houghton Mifflin Social Studies* program. The goal of the program is to develop knowledge, skills, and civic values needed for children to become responsible citizens in the twenty-first century. It does this by presenting social studies as a well-told story about the people who have shaped our world. At the heart of the program is the belief that students learn best when they are fascinated by what they are learning.

Since words tell only part of the story, Houghton Mifflin Social Studies has created a visually appealing and stimulating series of books filled with a rich and vivid collection of maps, charts, graphs, documents, paintings, sculptures, drawings, photographs, and artifacts.

An Exciting Year Ahead with *Across the Centuries*

This year, your child will study world history using the book *Across the Centuries*. The focus will be:

- civilizations in Africa, Asia, Europe, and North and South America, and the effect of geography, learning, religion, leadership, and military strength on their development;
- a comparison of the lives of peasants, merchants, warriors, and nobles across the centuries;
- the similarities of civilizations and empires in different places and different times;
- how the growth of trade and the transfer of learning changed how people thought.

Throughout the year, as well, your child will be reading related books from the Houghton Mifflin Social Studies Bookshelf.

How You Can Help

Throughout the year, we will be asking you to participate in your child's learning. The world outside the classroom is rich in history. Your encouragement, support, and sharing of your life experiences will greatly expand your child's learning.

During the school year, you will receive several newsletters like this one. Each one will summarize the content your child is studying. It will also suggest specific activities tied to each lesson that you can do at home with your child. These activities are designed to reinforce and add meaning to the classroom experience. The activities may involve playing a game, studying a map, reading a story or newspaper, or visiting a local library. This work with your child at home will help expand his or her understanding and enjoyment of social studies.

Home Involvement

UNIT 1 LINKS TO THE ANCIENT WORLD

What Your Child Is Learning in Unit 1

This unit explores how very differently we see the world today from how people in the past saw it. As societies come into contact with one another, they spread technology and ideas. By studying the Roman, Persian, Indian, and Chinese cultures, your child will learn how contact among different peoples changed these cultures. Your child will also see how everyday items from the past tell us about the people who used them—and how their lives are connected to our lives today.

Activities You Can Do at Home to Support Your Child's Learning

CHAPTER 1
A Changing World View

- Ask your child to look through the clothes in his or her closet and make a list of all the different countries whose names appear on the labels. Be sure he or she includes shoes, shirts, pants, hats, and jackets. Go over the list together and count how many countries your child has contact with just through his or her clothing.

- During the next two or three weeks, help your child keep a log of how many and what kinds of contacts people in your household have with people who live outside your state. The log can include relatives, friends, and business/shopping contacts. Remind your child that even as recently as a hundred years ago, such contacts would have been much harder. Discuss what makes these contacts easier today.

CHAPTER 2
Empires of the Ancient World

- Point out the buildings used for worship by different religious groups in your neighborhood or town. Talk with your child about how ideas and beliefs are carried from place to place.

- If you know someone who has traveled to other countries, help your child arrange for an interview. Encourage your child to find out what this person has learned about the language, customs, clothing, and food of people living in another part of the world.

Home Involvement

UNIT 2 THE GROWTH OF ISLAM

What Your Child Is Learning in Unit 2

In this unit, your child will study the origins and growth of Islam, one of the world's major religions. Your child will explore the effects of geography on the Arabian communities where Islam began. He or she will also discover Islam's close ties to Judaism and Christianity and will learn about the prophet Muhammad.

Activities You Can Do at Home to Support Your Child's Learning

CHAPTER 3
The Roots of Islam

- Help your child see that geography still determines many of our activities. Living near a lake or river, mountains, farms, a desert, or a forest affects what we do. Together, make a list of common activities done in your region, such as fishing, skiing, gardening, do-it-yourself fruit picking, or sledding. Then make another list of activities you can't do because of the geography where you live.

- The ancient city of Jerusalem is sacred to three different religions— Judaism, Christianity, and Islam. With your child, look for a book, a video, or a set of articles in the library that explains the history of the city and why it is so important.

CHAPTER 4
The Empire of Islam

- Your child will be learning about the great size and importance of the city of Baghdad around the year 850. Discuss with your child what made Baghdad important. (It was a center for government, commerce, art, and learning.) Together, identify two or three cities in the United States today that are important in the same way.

- Your child will be discussing the Muslim culture. Help your child list different elements of culture—family, religious, or ethnic—present in your community. Talk about the ways you make sure these cultures continue.

Home Involvement

UNIT 3 SUB-SAHARAN AFRICA

What Your Child Is Learning in Unit 3

In the next few weeks, your child will be learning about the development of empires in Africa south of the Sahara before the Europeans arrived. He or she will discuss how trade affected different African empires and the spread of Islam to West Africa. Your child will explore how historians have learned about Africa's past and learn about various cultural high points of African societies.

Activities You Can Do at Home to Support Your Child's Learning

CHAPTER 5
West Africa

- This chapter discusses kinship and family social organization. Help your child make a list of relatives who live close enough for you to see once a week, once a month, and several times a year. Does one side of the family live closer than another? Does where your relatives live affect your decision about where you live? Discuss with your child.

- Today in our country, as in the African cultures your child will read about in Chapter 5, people use stories to pass on their history. These familiar stories may be passed from grandparents to grandchild. Some stories are learned in school, read in books, or shown on television and movies. With your child, take turns listing stories you each have learned and where you learned it. Together, make up a new story about your family.

CHAPTER 6
Central and Southern Africa

- Iron was very important to the early Nok people. Have your child make a list of items in your home that are made of iron. Check those that are used every day.

Home Involvement

UNIT 4 ASIAN CIVILIZATIONS

What Your Child Is Learning in Unit 4

During the next few weeks, your child will learn about three Asian empires—the Mongol, Ottoman, and Mughal—and how they grew strong, then eventually lost power. Then he or she will study the early Chinese, Japanese, and Southeast Asian civilizations. Chinese contributions, such as the development of money and a civil service based on merit, will be studied, as will the Chinese inventions of gunpowder, guns, and the compass. Your child will also investigate the ways in which Japan's geography affected its development, and its religions, Shintoism and two Buddhist denominations, Amida and Zen.

Activities You Can Do at Home to Support Your Child's Learning

CHAPTER 7
Three Empires

- Tolerance of other religions was important in the growth of early Asian empires. Work with your child to list how things might be different if our country did not have laws guaranteeing religious tolerance.

CHAPTER 8
China

- You can help your child understand the importance of the Mongol development of a written language. Work with your child to name five things you cannot do without writing. (Some examples: keeping track of groceries needed, paying bills, giving certain instructions, making maps.) Try to do some of these activities without writing.

- Truly new inventions are rare. With your child, write a list of any inventions you feel have made important changes. (Some examples: electricity, airplanes, computers, vaccines.) Talk about how your lives would be different without these inventions. Which items were invented in your lifetime?

CHAPTER 9
Japan

- Japanese culture developed the haiku poem. A haiku has only 17 syllables: the first line has five syllables, the second seven, and the third five. With your child, look at book of haiku poetry at the library. Then take turns creating a haiku about your family, your home, or some important event in your life.

Home Involvement

UNIT 5 MEDIEVAL SOCIETIES

What Your Child Is Learning in Unit 5

In this unit, your child will learn about medieval western Europe. He or she will compare medieval societies in Japan and Europe, and learn why feudalism lasted longer in Japan than in Europe. Your child will then examine the effect of religion on Europeans in the Middle Ages, and see how disagreements over religious authority led to a split in the Christian Church. Lastly, he or she will learn about the crusades, a series of wars between Christians and Muslims for control of the Holy Land.

Activities You Can Do at Home to Support Your Child's Learning

CHAPTER 10
Feudal Europe and Japan

- Both European knights and Japanese samurai had codes of conduct that governed their actions. These codes included courtesy, honor, defense of the weak, and loyalty to their lord. Work with your child to list codes of expected behavior among some different groups today, such as scouts, doctors, judges, or basketball players.
- Have your child make up a code of conduct for a club, school class, age group, sports team, or family group. Have him or her share the code, and explain why he or she chose it.

CHAPTER 11
Europe: Rule, Religion, and Conflict

- In school, your child learned how the ruler Charlemagne relied on scholars. It was not unusual during the Middle Ages for European kings to rely on clerks and religious leaders to do the writing they needed. Have your child experience this by giving up writing for a space of time and coming to you for all of his or her writing, no matter how personal. At the end of the time period, discuss the experience. What were the advantages or disadvantages of having to depend on someone else's writing?

- Cathedrals built during the Middle Ages were elaborate, enormous undertakings that could take up to 100 years to build. Encourage your child to read a book about the building of a cathedral. (David Macaulay's *Cathedral: The Story of Its Construction* would be one good choice.)

Home Involvement

UNIT 6 EUROPE: 1300–1600

What Your Child Is Learning in Unit 6

In the next few weeks, your child will learn about the great changes in Europe that led to the Renaissance, continued through the Reformation, and brought about the period of European exploration of the rest of the world. He or she will also discover how the reexamination of accepted ideas caused a scientific revolution, and a split in the Catholic Church.

Activities You Can Do at Home to Support Your Child's Learning

CHAPTER 12
The Renaissance

- Guidelines from an old Italian Book of Manners explained that people should not carry toothpicks behind their ears or clean their teeth with napkins. Help your child develop a list of guidelines for good manners today.

CHAPTER 13
Reformation and the Scientific Revolution

- In school, your child will learn of Newton's discovery of gravity, the fact that all objects fall at the same rate, no matter what size or weight. Test this scientific fact with your child. Hold up two objects, such as a quarter and a piece of paper crumbled into a ball. Have your child watch carefully as you drop both objects at the same time. Look for other objects that are different weights and sizes and take turns testing those.

- In school, your child will read about the fear people felt when Edward Jenner performed experiments to test a vaccine against smallpox. Talk about new medical discoveries or changes made in your lifetime. Work with your child to list discoveries or changes in health and dental care. What are the pros and cons of each discovery or change on your list?

CHAPTER 14
The Age of Exploration

- Travel reports like those of Ibn Battuta and Marco Polo encouraged others to venture into new regions. With your child, make a list of places either of you have heard about from someone else who has traveled to them.

Home Involvement

UNIT 7 CIVILIZATIONS OF THE AMERICAS

What Your Child Is Learning in Unit 7

In the next few weeks, your child will learn about the origins and growth of empires that existed in the Americas before the arrival of Europeans. Your child will explore four early American civilizations and compare their farming practices, trade, religion, and social classes. He or she will come to understand how historians and archaeologists use physical evidence to study past cultures.

Activities You Can Do at Home to Support Your Child's Learning

CHAPTER 15
Early American Civilizations

- Ask your child to suppose how early people might have discovered that plants could be grown from seed. Perhaps someone accidentally dropped seeds on the ground and later realized that seeds could be cultivated. Write a short story or poem together that describes how agriculture might first have developed.

CHAPTER 16
Two American Empires

- To help your child understand better how archaeologists learn from physical evidence, set up a "household dig." Have family members each choose several objects to contribute to represent their daily life. Place all the objects in one box and work with your child to go through them carefully and say what the object would reveal to an archaeologist studying our culture in the future.

- In school, your child will see pages from Aztec books in which the Aztecs illustrated their daily life. Work with your child to make a similar book in which you draw or write something about your life every day for two weeks. Compare your book with the Aztec book. What are the similarities and differences?

Home Involvement

UNIT 8 EUROPE: 1600–1789

What Your Child Is Learning in Unit 8

In this unit, your child will learn about dramatic changes in European systems of government in the 1600s and 1700s. He or she will see changes in technology that greatly increased the production of food and other goods. Your child will also explore changes in thought, known as the Enlightenment, that led to greater emphasis on the rights of the individual. Lastly, your child will study the two revolutions—the American and the French—and see how they led to the establishment of our Constitution.

Activities You Can Do at Home to Support Your Child's Learning

CHAPTER 17
European Rule and Expansion

- Investigate a country that used to be a colony of either Britain or France. What type of government do they have now? What type of government did they have as a colony? Discuss with your child how being an English colony both helped and hindered the American colonies.

CHAPTER 18
The Enlightenment

- One of the greatest Enlightenment ideas is that all men have equal rights. How does this idea affect our country today?

The Home-School Link

An Exciting Year with *Across the Centuries*

This year, your child studied world history using the book *Across the Centuries*. The focus was:

- civilizations in Africa, Asia, Europe, and North and South America, and the effect of geography, learning, religion, leadership, and military strength on their development;

- a comparison of the lives of peasants, merchants, warriors, and nobles across the centuries;

- the similarities of civilizations and empires in different places and different times;

- how the growth of trade and the transfer of learning changed how people thought.

Throughout the year, as well, your child read related books from the Houghton Mifflin Social Studies Bookshelf.

Maintaining Student Interest and Involvement

Throughout the course of this past year, you have received letters offering suggestions of ways for you to support your child's learning in the Houghton Mifflin Social Studies program. We encourage you to continue this support and participation.

Just as you did in the preceding months, stay involved in social studies. Look for opportunities to enhance your child's learning. Films, documentaries, television programs, newspapers and magazines, family history, museum exhibits, community and cultural events, local elections, and library books are all opportunities to bring history to life. By bringing important events to the attention of your son or daughter, you communicate to your child the belief that the study of history is not just a subject to be studied at school, but rather, an important part of our lives.

De la clase al hogar

The Home-School Link

Acerca del programa
Estudios Sociales de Houghton Mifflin

Su niño está a punto de comenzar un nuevo año escolar con el programa *Estudios Sociales de Houghton Mifflin*. El objetivo de este programa es que los niños desarrollen los conocimientos, las destrezas y los valores cívicos necesarios para ser ciudadanos responsables en el siglo XXI. Para lograr esta meta en este programa, los conceptos se presentan a través de un relato interesante sobre los personajes que han hecho historia. Nuestro programa se basa en la creencia que los estudiantes aprenden mejor cuando les fascina lo que estudian.

Como las palabras forman sólo una parte de la historia, para este programa Houghton Mifflin ha creado una serie de libros visualmente llamativos, con una rica y dinámica colección de mapas, tablas, gráficas, documentos, pinturas, esculturas, dibujos, fotografías y artefactos.

Un año emocionante con
A través de los siglos/
Across the Centuries

Durante este año, su niño va a estudiar con *A través de los siglos* para aprender acerca de la historia del mundo. Los puntos de enfoque serán:

- las civilizaciones de África, Asia, Europa, América del Norte y América del Sur, y los efectos que han tenido la geografía, el conocimiento, la religión, el gobierno y el poder militar en el desarrollo de esas civilizaciones;
- la comparación de las vidas de los trabajadores, los comerciantes, los guerreros y los nobles a través de los siglos;
- las similitudes entre las civilizaciones y los imperios de diferentes lugares en diferentes épocas;
- cómo el incremento en el comercio y en el intercambio de conocimiento cambiaron la manera de pensar de la gente.

Durante el año, también vamos a leer sobre temas relacionados en los libros del *Librero de Estudios Sociales* de Houghton Mifflin.

Cómo usted puede ayudar

Vamos a pedirle que participe a través de este año en el aprendizaje de su niño. Como el mundo fuera del salón de clases abunda en historia, al compartir sus experiencias personales, su interés y su apoyo, usted ayudará a ampliar aún más los conocimientos de su niño.

Durante el año escolar usted recibirá varias cartas como ésta. Cada una contiene un resumen de los temas que estudiamos. También provee sugerencias para actividades relacionadas con cada lección que ustedes pueden realizar en casa. Esas actividades reforzarán los conceptos y darán más sentido a las experiencias del salón de clases. Las actividades para hacer en casa pueden incluir juegos, exploración de mapas, lectura de cuentos o periódicos, o visitas a la biblioteca. Al hacer estas actividades, su niño aumentará su conocimiento mientras disfruta de los estudios sociales.

En familia
Home Involvement

UNIDAD 1 CONEXIONES CON EL MUNDO ANTIGUO/ LINKS TO THE ANCIENT WORLD

Lo que se aprende en la Unidad 1

En esta unidad exploramos las diferencias entre cómo vemos el mundo hoy en día y cómo fue visto en el pasado. A medida que las sociedades se comunican entre sí, se difunde la tecnología y las ideas entre ellas. Al estudiar la cultura romana, persa, india y china, su niño verá cómo el contacto entre las diversas culturas cambió a las poblaciones. También verá cómo los objetos comunes antiguos nos proporciona información sobre la gente que los usó, y sobre las conexiones que hay entre sus vidas y las nuestras.

Actividades para la casa que apoyan el aprendizaje de su niño

CAPÍTULO 1
Visiones cambiantes del mundo/A Changing World View

• Pida a su niño que examine la ropa en su armario y que escriba una lista de todos los países que se nombran en las etiquetas. Asegúrese de que examine las etiquetas de zapatos, camisas, pantalones, gorras y chaquetas. Revisen juntos la lista y cuenten los países con que su niño está en contacto a través de su ropa.

• Durante las próximas dos o tres semanas, ayude a su niño a llevar un registro detallado de los contactos que tienen todos los que viven en su casa con personas que viven fuera de su estado. El registro puede incluir familiares, amigos, personas relacionadas a los trabajos de cada uno o a compras que se hagan. Recuérdele que hace tan sólo unos cien años, habría sido mucho más difícil hacer contactos de ese tipo. Conversen acerca de la tecnología que facilita los contactos de ese tipo.

CAPÍTULO 2
Los imperios del mundo antiguo/Empires of the Ancient World

• Muestre a su niño los edificios en su vecindario o ciudad que usan los varios grupos religiosos para practicar su religión. Hablen de cómo los ideales y las creencias se transmiten de un lugar a otro.

• Si conoce a alguien que haya viajado a otros países, ayude a su niño a organizar una entrevista con esa persona. Anímele a averiguar lo que ha aprendido la persona acerca del idioma, las costumbres, el vestuario y la comida de los que viven en otras partes del mundo.

En familia
Home Involvement

UNIDAD 2 LA EXPANSIÓN DEL ISLAMISMO/THE GROWTH OF ISLAM

Lo que se aprende en la Unidad 2

El enfoque de esta unidad es los orígenes y la expansión del islamismo, una de las religiones más importantes del mundo. Su niño explorará el efecto de la geografía en las comunidades árabes donde nació el islamismo. También descubrirá las conexiones entre el islamismo, el judaísmo y el cristianismo, y aprenderá sobre el profeta Mohamed.

Actividades para la casa que apoyan el aprendizaje de su niño

CAPÍTULO 3
Las raíces del islamismo/The Roots of Islam

- Ayude a su niño a darse cuenta de que la geografía determina muchas de nuestras actividades aún hoy en día. Vivir cerca de un lago, un río, unas montañas, una granja, un desierto o un bosque afecta lo que hacemos. Escriban juntos una lista de actividades que se llevan a cabo comunmente en su región, tales como la pesca, el esquí, la jardinería, la recolección de frutas y el trineo. Luego, escriban una lista de las actividades que no podrían hacer debido a la geografía física de la región donde viven.

- La antigua ciudad de Jerusalén es considerada sagrada por tres religiones: el judaísmo, el cristianismo y el islamismo. Busque con su niño un libro, un video o unos artículos en la biblioteca que expliquen la historia de la ciudad y por qué se considera tan importante.

CAPÍTULO 4
El imperio del islamismo/The Empire of Islam

- Su niño aprenderá sobre el tamaño y la importancia de la ciudad de Bagdad alrededor del año 850. Hablen de por qué fue Bagdad tan importante (era un centro de gobierno, de comercio, de arte y de enseñanza). Identifiquen dos o tres ciudades contemporáneas en los Estados Unidos que sean importantes por razones similares.

- Su niño va a aprender acerca de la cultura musulmana. Hagan una lista de los diferentes elementos culturales en su comunidad a nivel familiar, religioso y étnico. Hablen de las formas en que las sociedades aseguran la continuidad de sus culturas.

En familia
Home Involvement

UNIDAD 3 El África al sur del Sahara/Sub-saharan Africa

Lo que se aprende en la Unidad 3

Durante las próximas semanas, estudiaremos el desarrollo de los imperios al sur del desierto del Sahara en África, antes de la llegada de los europeos. Conversaremos sobre los efectos del comercio en diferentes imperios africanos y sobre la difusión del islamismo en África occidental. También exploraremos cómo los historiadores han aprendido sobre el pasado de África y conoceremos algunos de los logros sobresalientes de las sociedades africanas.

Actividades para la casa que apoyan el aprendizaje de su niño

CAPÍTULO 5
África occidental/West Africa

- El enfoque de este capítulo son los lazos familiares y la organización social de las familias. Ayude a su niño a escribir una lista de los parientes que viven lo suficientemente cerca de ustedes como para poder verlos una vez a la semana, una vez al mes y varias veces al año. ¿Vive un lado de la familia más cerca que el otro? ¿Han tomado en cuenta la proximidad de sus familiares al decidir donde vivir? Conversen juntos sobre el tema.

- Hoy en día en nuestro país, al igual que en las culturas africanas que su niño estudia en el Capítulo 5, usamos la tradición oral para transmitir nuestra historia. Esos cuentos pueden pasar de abuelos a nietos, o se pueden aprender en la escuela, en libros que leemos, en la televisión o en el cine. Tome turnos con su niño para hacer una lista de los cuentos que han aprendido, anotando dónde aprendieron cada uno. Inventen juntos un cuento nuevo sobre su familia.

CAPÍTULO 6
África central y del sur/Central and Southern Africa

- El hierro fue muy importante para la civilización nok. Pida a su niño que escriba una lista de los objetos en su casa que estén hechos de hierro. Marquen los que son de uso diario.

En familia
Home Involvement

UNIDAD 4 CIVILIZACIONES ASIÁTICAS/ASIAN CIVILIZATIONS

Lo que se aprende en la Unidad 4

En las próximas semanas, su niño va a estudiar el surgimiento y la decadencia de tres imperios asiáticos: el mongol, el otomano y el mogol. Después estudiaremos las primeras civilizaciones de la China, del Japón y del sureste de Asia. Veremos algunas de las contribuciones de los chinos, como el desarrollo de la moneda y de los servicios civiles basados en un sistema de mérito, así como la invención de la pólvora, las armas de fuego y la brújula. También investigamos el efecto de la geografía del Japón en su desarrollo y sus religiones (el sintoísmo y dos denominaciones budistas: el amida y el zen).

Actividades para la casa que apoyan el aprendizaje de su niño

CAPÍTULO 7
Tres imperios/Three Empires

- La tolerancia religiosa fue muy importante en el desarrollo de los primeros imperios asiáticos. Escriba una lista con su niño de cómo habría sido distinta la vida si no hubiera leyes en nuestro país que garantizaran la libertad de religión.

CAPÍTULO 8
China/China

- Usted puede ayudar a su niño a entender la importancia para los mongoles de haber desarrollado un idioma escrito. Nombren cinco cosas que no se pueden hacer sin la escritura. (Algunos ejemplos son: Hacer una lista de compras, pagar las cuentas, dar ciertas instrucciones y hacer mapas.) Intenten hacer algunas de esas actividades sin escribir.

- Las invenciones verdaderamente nuevas no suceden con frecuencia. Con su niño, escriba una lista de las invenciones que han producido cambios importantes en nuestras vidas. (Algunos ejemplos son: la electricidad, los aviones, las computadoras y las vacunas.) Hablen de cómo cambiarían nuestras vidas si no existieran esas invenciones. ¿Cuáles de ellas se inventaron durante la vida de su niño?

CAPÍTULO 9
Japón/Japan

- El haiku es un estilo de poesía que se desarrolló en el Japón. Un poema haiku sólo tiene 17 sílabas: el primer renglón tiene cinco sílabas, el segundo tiene siete y el tercero tiene cinco. Con su niño, busque un libro de poesía haiku en la biblioteca. Luego, tomen turnos para crear un poema haiku sobre su familia, su hogar o algún suceso importante de sus vidas.

En familia
Home Involvement

UNIDAD 5 LAS SOCIEDADES MEDIEVALES/MEDIEVAL SOCIETIES

Lo que se aprende en la Unidad 5

En esta unidad, estudiamos la época medieval en Europa occidental. Comparamos la sociedad medieval del Japón y de Europa para entender por qué el feudalismo duró más tiempo en el Japón que en Europa. Luego, examinamos cómo la religión afectó a los europeos de la Edad Media y cómo los desacuerdos sobre la autoridad religiosa causaron una división en la iglesia cristiana. Por último, estudiamos las cruzadas, una serie de guerras entre los cristianos y los musulmanes cuyo propósito era el de controlar la Tierra Santa.

Actividades para la casa que apoyan el aprendizaje de su niño

CAPÍTULO 10
El feudalismo en Europa y el Japón /Feudal Europe and Japan

- Tanto los caballeros europeos como los samurai japoneses tenían códigos de conducta que gobernaban sus acciones. Esos códigos incluían aspectos como la cortesía, el honor, la defensa de los más débiles y la lealtad a un noble. Con su niño, escriba los códigos de conducta de diferentes grupos contemporáneos, como el de los niños exploradores, los médicos, los jueces y los jugadores de baloncesto.

- Pida a su niño que invente un código de conducta para un club, una clase en la escuela, un grupo de personas de la misma edad, un equipo deportivo o un grupo familiar. Hablen del código que inventó y pídale que lo explique.

CAPÍTULO 11
Europa: Gobierno, religión y conflicto/Europe: Rule, Religion and Conflict

- En clase, aprendimos que Carlomagno no sabía leer ni escribir. Durante la Edad Media, era bastante común que escribanos y líderes religiosos escribieran por los reyes. Para tener esa experiencia, su niño puede dejar de escribir por un período de tiempo corto, en el que usted escriba todo lo que necesite, incluso sus mensajes más personales. Al terminar el experimento, hablen de la experiencia. ¿Cúales fueron las ventajas y las desventajas de tener que depender de alguien para escribir?

- Las catedrales que se construyeron durante la Edad Media fueron obras complejas y grandiosas que a veces tardaban hasta 100 años en terminarse. Anime a su niño a leer un libro sobre la construcción de una catedral. (Un buen ejemplo es el libro en inglés de David Macaulay, *Cathedral: The Story of Its Construction*.)

En familia
Home Involvement

UNIDAD 6 LA EUROPA DEL SIGLO XIV AL SIGLO XVII/EUROPE: 1300–1600

Lo que se aprende en la Unidad 6

Durante las próximas semanas, estudiamos los grandes cambios en Europa que resultaron en el Renacimiento, luego en la Reforma y más adelante en el período de exploración europea del mundo entero. Su niño descubrirá cómo la práctica de reevaluar ideas ya aceptadas provocó la revolución científica y, al mismo tiempo, una división en la iglesia católica.

Actividades para la casa que apoyan el aprendizaje de su niño

CAPÍTULO 12
El Renacimiento/The Renaissance

- Según un antiguo libro italiano de buenos modales, eran considerados malos modales llevar un palillo detrás de la oreja y limpiarse los dientes con una servilleta. Ayude a su niño a escribir una lista de buenos modales de hoy en día.

CAPÍTULO 13
La Reforma y la revolución científica/
Reformation and the Scientific Revolution

- En clase, su niño estudiará el descubrimiento de Newton de la gravedad, y el hecho de que todos los objetos, sin importar su tamaño o peso, caen a la misma velocidad. Hagan una prueba para comprobar ese hecho científico. Levante dos objetos, por ejemplo una moneda de 25 centavos y un pedazo de papel arrugado en forma de bola, y pida a su niño que observe mientras los suelta al mismo tiempo. Repitan la misma prueba con otros objetos de tamaños y pesos diferentes.

- Su niño leerá sobre el temor que sintió la gente cuando Edward Jenner realizó experimentos para probar una vacuna contra la viruela. Hablen de nuevos descubrimientos o cambios en el campo de la medicina que han ocurrido durante sus vidas. Escriban una lista de los descubrimientos o cambios que han ocurrido en las áreas de la salud en general y en la salud dental. ¿Cuáles son las ventajas y las desventajas de los descubrimientos o cambios en su lista?

CAPÍTULO 14
El período de la exploración/The Age of Exploration

- Narraciones de viajes, como los de Ibn Battuta y Marco Polo, animaron a otros a viajar a nuevas regiones. Con su niño, escriba una lista de lugares que ustedes conocen a través de personas que hayan estado en esos lugares.

En familia
Home Involvement

UNIDAD 7 LAS CIVILIZACIONES DE AMÉRICA/CIVILIZATIONS OF THE AMERICAS

Lo que se aprende en la Unidad 7

Durante las próximas semanas, su niño estudiará los orígenes y el crecimiento de los imperios que existían en América antes de que llegaran los europeos. Explorará cuatro civilizaciones antiguas del continente, y comparará sus métodos de agricultura, su comercio, su religión y su estructura social. También llegará a entender cómo los historiadores y los arqueólogos estudian culturas del pasado, a través de la evidencia física que las culturas han dejado.

Actividades para la casa que apoyan el aprendizaje de su niño

CAPÍTULO 15
Las primeras civilizaciones de América/Early American Civilizations

- Pida a su niño que piense en cómo los primeros pobladores pudieron haber descubierto que las plantas se pueden sembrar a partir de semillas. Sugiera que quizás a alguien se le cayeron unas semillas y luego se dio cuenta de que las semillas se pueden sembrar. Escriban juntos un cuento corto o un poema que describa cómo se pudo haber desarrollado la agricultura.

CAPÍTULO 16
Dos imperios americanos/Two American Empires

- Para ayudarle a su niño a entender mejor cómo los arqueólogos aprenden de la evidencia física, simule una excavación arqueológica. Pida a miembros de la familia que elijan algunos objetos que representen sus vidas cotidianas. Pongan todos los objetos en una caja, examínenlos cuidadosamente y hablen de la información que cada objeto divulgaría de nuestra cultura a un arqueólogo del futuro.

- En clase, veremos páginas de libros aztecas que contienen información sobre su vida cotidiana. Trabaje con su niño todos los días durante dos semanas para hacer un libro similar al de los aztecas en el que dibujen o escriban algo sobre sus vidas. Compárenlo con los libros aztecas. ¿Cuáles son las similitudes y las diferencias entre los dos libros?

En familia
Home Involvement

UNIDAD 8 EUROPA DE 1600 AL 1789/EUROPE: 1600–1789

Lo que se aprende en la Unidad 8

En esta unidad, su niño aprenderá acerca de los cambios dramáticos que ocurrieron en los sistemas europeos de gobierno durante los siglos XVII y XVIII. También estudiará cambios en la tecnología que aumentaron enormemente la producción de alimentos y de otros productos. Luego, explorará la época conocida como la ilustración, en la que ocurrieron grandes cambios en el pensamiento ideológi-co. Esos cambios estable-cieron un mayor énfasis en los derechos del individuo. Finalmente, su niño estudiará la revolución americana y la revolución francesa, y verá cómo ellas inspiraron la creación de la Constitución de los Estados Unidos.

Actividades para la casa que apoyan el aprendizaje de su niño

CAPÍTULO 17
El gobierno y la expansión europea/European Rule and Expansion

- Investiguen un país que haya sido una colonia de Inglaterra o de Francia. ¿Qué tipo de gobierno tiene ahora? ¿Qué tipo de gobierno tenía cuando era una colonia? Converse con su niño acerca del impacto, tanto positivo como negativo, que tuvo para las colonias americanas el haber sido una colonia inglesa.

CAPÍTULO 18
La ilustración/The Enlightenment

- Uno de los conceptos más importantes de la ilustración es la igualdad de derechos de todas las personas. ¿Cómo afecta ese pensamiento a nuestro país en la actualidad?

De la clase al hogar
The Home-School Link

Un año emocionante con *A través de los siglos*

Este año su niño estudió con *A través de los siglos* para aprender acerca de la historia del mundo. El enfoque fue:

- las civilizaciones de África, Asia, Europa, América del Norte y América del Sur, y los efectos que han tenido la geografía, el conocimiento, la religión, el gobierno y el poder militar en el desarrollo de esas civilizaciones;

- la comparación de las vidas de los trabajadores, los comerciantes, los guerreros y los nobles a través de los siglos;

- las similitudes entre las civilizaciones y los imperios de diferentes lugares en diferentes épocas;

- cómo el incremento en el comercio y en el intercambio de conocimiento cambiaron la manera de pensar de la gente.

Durante el año, su niño también leyó sobre temas relacionados en los libros del *Librero de Estudios Sociales* de Houghton Mifflin.

Para mantener el interés y la participación de los estudiantes

En el transcurso del año, usted ha recibido cartas con sugerencias para apoyar el aprendizaje de su niño con el programa *Estudios Sociales de Houghton Mifflin*. Le invitamos a mantener este apoyo al estudio de su niño.

Le pedimos que siga participando activamente en los estudios sociales, tal como lo ha hecho en los meses anteriores. Busque oportunidades de mejorar el aprendizaje de su niño. Hay oportunidades de revivir la historia al ver películas, documentales o programas de televisión, leer periódicos o revistas, escuchar relatos de la familia, visitar museos, asistir a eventos culturales o comunitarios, participar en las elecciones locales y leer los libros de la biblioteca. Al interesar a su niño en sucesos importantes, usted le comunica que el estudio de la historia no es sólo una materia de la escuela, sino una parte importante de nuestras vidas.

連繫家庭與學校

The Home-School Link

有關 Houghton Mifflin 社會科學課程計劃

你的孩子將在新學年開始學習一門新的課程 —Houghton Mifflin 社會科學。

課程的目標是增長學童的知識、技能和公民價值，使他們在二十一世紀成為稱職的公民。我們由系統地講述影響世界的人物的故事來傳授這一門課程。課程的信念是相信學童如對他們學習的課程感到興趣，那他們的學習會有最好的效果。

因為文字只能講述故事的一部份，Houghton Mifflin 的社會科學課程計劃，設計了一套在視覺上能吸引學生，刺激學生學習的叢書，包括豐富多采和生動的地圖、圖表、圖像、文件、繪畫、雕塑、圖畫、攝影和手工藝品等。

未來興奮的一年：學習《橫跨世紀》

今年，你的孩子將用《橫跨世紀》一書，學習世界歷史。我們的重點是：

- 非洲、亞洲、歐洲、北美和南美的文明，以及地理、學習、宗教、領導及軍事力量對他們發展的影響；
- 比較不同世紀農民、商人、軍人及貴族的生活；
- 不同地點不同時間的文明和帝國之間的相同點；
- 貿易的發展及知識的傳播如何影響人們的思想。

在這一年裡，你的孩子將會被要求到 Houghton Mifflin 社會科學圖書館閱讀與課程相關的圖書。

你如何幫助

在一年內，我們會請你參與你的孩子的學習。課堂以外的世界到處充滿歷史。你的鼓勵、支持，及與孩子分享你的生活經驗等，都可以擴大你的孩子學習的視野。

在這一學年內，你會收到幾份這樣的通訊。每份通訊都將撮要敘述你的孩子正在學習的課程內容。並建議一些與學習有關的具體活動，你可以在家裡和孩子一起做。這些活動增強孩子在課室所學的知識，使之更有意義。這些活動包括玩遊戲、研究地圖、閱讀故事或報章、或前往本地的圖書館等。在家與孩子一起學習可以幫助擴大他們對社會科學的理解和喜愛。

家庭參與

Home Involvement

UNIT 1 連接古代世界

© Houghton Mifflin Company. All rights reserved.

你的孩子在第一單元

這個單元探索今天人們對世界的看法，與以前人們對世界的看法如何不同。當不同的社會開始接觸後，隨之而來的是技術與思想的傳播。你的孩子從學習羅馬、波斯、印度和中國的文化中，將認識這些民族的交流如何互相影響。你的孩子並可從過去人們日常生活所用的物品，告訴你過去人們的生活情況——以及他們的生活和我們今天的生活有些什麼連繫。

幫助孩子學習，
在家可與孩子做的活動

第一章
不斷改變的世界風貌

· 讓孩子檢查他們的衣櫃，列一張清單，從每件衣服的商標上找出出產地。記得包括鞋、恤衫、褲、帽和外衣在內。然後大家一起看清單，看看從衣物裡你們接觸多少個國家。

· 在未來兩三個星期內，**幫助你的孩子做一個紀錄，看看家人與住在外州的人聯絡次數有多少，屬於什麼類型的聯絡。**紀錄可以包括聯絡親戚、朋友，或屬於商務／購物的聯絡。提醒你的孩子即使在一百年前，這類的聯絡都是十分困難的。討論是什麼為今天的通訊聯絡帶來諸多方便。

第二章
古代世界的帝國

· 在你的鄰區或城鎮，指出不同宗教團體祀神的建築物。與你的孩子談談思想和信仰如何傳播。

· 如你認識曾前往其他國家旅行的人，**幫助你的孩子安排做一次訪問。**鼓勵你的孩子從該人處學習一些其他地方的語言、習俗、衣著及食物等。

家庭參與
Home Involvement

UNIT 2 伊斯蘭教的發展

你的孩子在第二單元

在這一單元中，你的孩子將學習伊斯蘭教的起源和發展。伊斯蘭教是世界上一個重要的宗教。你的孩子將探索阿拉伯地區地理對伊斯蘭教出現的影響。他或她將發現伊斯蘭教與猶太教及基督教的密切關係，並學習有關先知穆罕默德的故事。

幫助孩子學習，
在家可與孩子做的活動

第三章
伊斯蘭教的根源

· 幫助你的孩子了解地理對我們很多活動的影響。住在近湖泊、河流、山、農莊、沙漠或森林對我們生活的影響。大家列一張清單，列出在你們地區常見的活動，例如釣魚、滑雪、園藝、摘果、或滑雪橇等。然後再列一張清單，因為你們居住地方的地理而無法做的活動。

· 古代城市耶路撒冷是三個宗教的聖地——猶太教、基督教和伊斯蘭教。與你的孩子從圖書館找一本專談這個城市歷史的書，或錄影帶，或文章，闡述這個城市的歷史及解釋一下為什麼一個城市的歷史是非常重要的。

第四章
伊斯蘭帝國

· 你的孩子將學習850年左右八達城的規模和重要性。與你的孩子討論是什麼造成八達城的重要（它是政府、商業、藝術及學習的中心）。然後找出今天美國兩三個重要的城市，用同樣的觀點指出為什麼這些城市重要。

· 你的孩子將討論回教文化。幫助你的孩子列一張清單，展示你們居住地區文化的不同面貌——家庭、宗教、種族。談談延續這些文化的方法。

家庭參與

Home Involvement

UNIT 3 次撒哈拉非洲

你的孩子在第三單元

在未來幾個星期，你的孩子將學習歐洲人未來之前，撒哈拉以南的多個帝國的發展歷史。他或她將討論貿易如何影響非洲帝國，以及伊斯蘭教的傳入非洲。你的孩子將探索歷史家如何認識非洲的過去，及學習多個非洲社會的文化成就。

幫助孩子學習，
在家可與孩子做的活動

第五章
西非

- 這一章討論氏族與家庭社會組織的關係。幫助你的孩子列一張住在附近，每星期或每個月見面一次，或每年見面多次的親戚的名單。是不是家庭中父系或母系的親人住得比較近呢？是不是親戚居住的地點，影響你挑選居住地點的決定呢？與你的孩子討論一下。

- 今天在我們的國家，就像你的孩子從第五章認識非洲的文化一樣，人們用故事的方式來流傳他們的歷史。這些類似的故事可能由祖父母傳給孫輩。有些故事是在學校學到的，有些是從書本，或從電視電影中學到的。與你的孩子輪流列出你們知道的故事，以及從什麼地方學到這些故事。大家編撰一個你們家庭的故事。

第六章
中非及南非

- 鐵礦對早期Nok人是非常重要的。與你的孩子列一張清單，列出家中有什麼是用鐵造的。找出哪些是每天都用的。

家庭參與
Home Involvement

UNIT 4 亞洲文明

你的孩子在第四單元

在未來幾個星期，你的孩子將學習三個亞洲帝國的歷史：蒙古帝國、鄂圖曼帝國和莫臥兒帝國。認識它們強大及衰落的過程。然後他或她將學習早期的中國、日本及東南亞文明。他們將認識中國人對世界文明的貢獻，例如使用貨幣及用人唯能的文官制度，以及火藥、槍械及指南針的發明。你的孩子並學習地理對日本發展的影響，並學習日本宗教神道教及Amida和禪宗對日本的影響。

幫助孩子學習，在家可與孩子做的活動

第七章
三個帝國

· 對其他宗教容忍，是早期亞洲帝國發展的重要因素。與你的孩子列一張清單，如果我們的國家沒有法律保證宗教容忍，將有什麼不同。

第八章
中國

· 你可以幫助孩子明白，蒙古人發展書面文字的重要。與你的孩子一起找出五件缺少書面文字不能命名的事物。（一些例子：記下需要買的雜貨、付帳、提供指示、製造地圖等）。試試不用文字來完成這些活動。

· 真正的新發明是很少見的。與你的孩子列一張清單，列出你們認為造成重要改變的一些發明。（一些例子：電氣、飛機、電腦、疫苗等）。談談如果沒有這些發明，你的生活將有什麼不同。什麼發明是在你們時代出現的呢？

第九章
日本

· 日本文化發展俳句。俳句共有十七個音節：第一行有五個，第二行有七個，第三行有五個；與你的孩子在圖書館找俳句的書籍。然後自己做一首俳句，是關於你的家庭、住家，或生活中一些重要的事物。

家庭參與
Home Involvement

UNIT 5　中世紀社會

你的孩子在第五單元

在這個單元中，你的孩子將學習中世紀歐洲的歷史。他和她將比較日本和歐洲中世紀的社會，學習為什麼日本的封建社會比歐洲的維持得更長久。你的孩子將學習宗教對中世紀歐洲人的影響，並發現因為對宗教權威的意見不同，造成基督教會的分裂。最後，他或她將學習十字軍的歷史，這是基督教徒和回教徒爭控聖地的一連串戰爭。

幫助孩子學習，
在家可與孩子做的活動

第十章
封建歐洲與日本

· 歐洲的武士和日本的武士，都有一套管制他們行動的規則。這些規則包括禮貌、榮譽、保護弱小、對主人忠誠。與你的孩子列一張清單，列出人們對不同團體的人的行為期望，例如男童軍、醫生、法官、或籃球員等。

· 讓你孩子做一份社團、課室、年齡團體、運動隊伍、或家庭的守則。讓他遵守這些規則，並請他或她說明為什麼作出這樣的選擇。

第十一章
歐洲：統治、宗教和衝突

· 在學校裡，你的孩子知道統治者查理斯曼不能讀又不能寫。在中世紀這是不稀奇的事，因為當時歐洲的君主是依靠書記或宗教領袖來負責紀事的。讓你的孩子試試這樣的經驗，在一小段時間內不能書寫，不論是怎樣個人的事，什麼都要靠你來寫。在這段時間結束後，討論一下不能書寫的經驗。依靠他人代書的好處和壞處在哪裡。

· 在中世紀建築的教堂都十分宏偉，是重大的工程，需時一百多年才完成。鼓勵你的孩子讀一本有關教堂建築的書。（David Macaulay的Cathedral: The Story of Its Construction是一本好書）。

家庭參與

Home Involvement

UNIT 6 歐洲：1300-1600

你的孩子在第六單元

在未來幾個星期，你的孩子將學習歐洲的巨大轉變，導致文藝復興，再通過宗教改革，然後開始了歐洲人對世界各地的探索。他或她將發現因為對既有的思想的再檢討，結果引發科學革命，及天主教會的分裂。

幫助孩子學習，在家可與孩子做的活動

第十二章
文藝復興

- 一本舊的義大利禮儀書籍，說人們不應在耳後放牙籤，也不應用餐巾清潔牙齒。幫助你的孩子列一張清單，指明今天什麼才是良好的舉止。

第十三章
宗教改革及科學革命

- 在學校裡，你的孩子將學習牛頓發現地心吸力的歷史，即不論物件的重量和大小，跌下時的速率是一樣的。與你的孩子試試這個科學事實。用兩件物件例如一個兩角半錢幣，及用一張紙捻成的紙球同時丟下。讓你的孩子小心看清楚，兩件物件都是同時到地的。再找找其他不同重量和大小的物件，做同樣的試驗。

- 在學校裡，你的孩子將讀到Edward Jenner試驗天花疫苗的時候，人們的恐懼感覺。談談新的醫藥發現，及在你生活時代的醫學轉變。與你的孩子列一張關於醫療及牙齒護理發現或改變的清單。這些發現和改變有什麼好處和壞處？

第十四章
探險時代

- 像Ibu Battuta與馬可孛羅的遊記，鼓勵人們冒險探索新土地。與你的孩子列一張清單，列出你聽到他人曾旅行過的地方。

家庭參與
Home Involvement

UNIT 7 美洲的文化

© Houghton Mifflin Company. All rights reserved.

你的孩子在第七單元

在未來幾個星期，你的孩子將學習歐洲人未到美洲之前，當地帝國的起源和發展。你的孩子將探索四個早期的美洲文明，比較他們的農耕方法、貿易、宗教和社會階級。他或她將明白歷史學家和考古學家如何利用實物研究過去的文化。

幫助孩子學習，
在家可與孩子做的活動

第十五章
早期美洲文明

· 問問你的孩子，早期人們如何發現種籽可以長成植物。或者有人偶然的將種籽撒在地上，後來發現種籽是可以生長的。寫一篇短篇故事或一首詩，記述農業最早是如何發展的。

第十六章
兩個美洲帝國

· 幫助你的孩子明白考古學家如何從實物中認識過去，然後在家裡進行發掘。請家人選擇幾種代表他們日常生活的東西。將所有的東西放在一個盒內，然後與孩子小心研究每種東西，說說未來年代的考古學家將如何從這些東西認識我們的文化。

· 在學校裡，你的孩子將看到阿茲台克書籍的一些書頁，反映出阿茲台克人的日常生活。與你的孩子做一本類似的書籍，畫些或寫些你們兩個星期內的生活。與阿茲台克人的書籍比較。有些什麼異同呢？

家庭參與
Home Involvement

UNIT 8 歐洲：1600-1798

你的孩子在第八單元

在這個單元裡，你的孩子將學習歐洲政府系統在1600年代至1700年代的重大變遷。他或她將看到技術的改變，大量的增加了食物和其他產品的生產。你的孩子並會探索啟蒙時代的思想變化，導致人們更加重視個人權利。最後，你的孩子將讀到兩個革命——美國和法國的革命——並認識這兩個革命對我們憲法的影響。

幫助孩子學習，在家可與孩子做的活動

第十七章
歐洲人統治和擴張

- 找一個曾經是英國或法國的殖民地研究一下。現在他們實行的是什麼政府制度呢？他們在殖民地時期實行的又是什麼政府制度呢？與你的孩子討論一下，做為英國殖民地如何幫助和阻礙了美洲殖民地的。

第十八章
啟蒙時代

- 啟蒙時代最偉大的思想之一，是人人平等。這個思想如何影響我們今天的國家？

連繫家庭與學校
The Home-School Link

學習《橫跨世紀》，興奮的一年

這一年你的孩子用《橫跨世紀》一書，學習世界歷史。重點是：

- 非洲、亞洲、歐洲、北美和南美的文明，以及地理、學習、宗教、領導及軍事力量對他們發展的影響；

- 比較不同世紀農民、商人、軍人及貴族的生活；

- 不同地點不同時間的文明和帝國之間的相同點；

- 貿易的發展及知識的傳播如何影響人們的思想。

在這一年裡，你的孩子也可以在 Houghton Mifflin 社會科學圖書館讀到相關的書籍。

保持學生的興趣和參與

過去一年，你一直收到信件，提供促進你孩子學習Houghton Mifflin 社會科學課程的方法。我們鼓勵你繼續支持和參與孩子的學習。

就像過去幾個月一樣，繼續參與社會科學的學習。找機會鼓勵你孩子的學習。電影、紀錄片、電視節目、報章和雜誌、家庭歷史、博物館展覽、社區及文化活動、本地選舉、圖書館書籍等，都是增加我們認識歷史的機會。告訴你孩子重要的事件，你可以讓他們明白學習歷史，不只是學校的一個科目而已，而是我們生活的重要部份。

Tsev–Tsev Kawm Ntawv kev Koom Tes

The Home-School Link

Hais txog kev Kawm Neeg Noob Neej los ntawm Houghton Mifflin

Xyoo nov, nej tus me nyuam tab tom yuav pib kawm txog neeg noob neej nyob hauv Houghton Mifflin phau ntawv. Lub hom phiaj ntawm txoj kev kawm no yog nthuav tswv yim, txuj ci thiab nuj nqi txog neeg lub neej kom cov me nyuam tshwm sim los ua ib cov pej xeem paub tab hauv xyoo ob txhiab yav tom ntej no. Qhov no yog nthuav qhia txog cov neeg lub neej thiab piav keeb kwm dab neeg los ntawm cov neeg uas tau tsim kho peb lub ntiaj teb no. Siab ntsws ntawm txoj kev nthuav qhia yog kev ntseeg tias cov me nyuam yuav kawm tau zoo tshaj yog muab tej yam ntxim siab los rau lawv kawm.

Tab txawm yog tias cov lus no tsuas qhia ib nqe ntawm zaj dab neeg xwb, Houghton Mifflin cov lus nthuav qhia txog neeg lub neej kuj muaj ib cov phau ntawv uas tau hais txog tej yam ntxim siab thiab pab txhawb kom muaj siab xav kawm cov lus khaws cia uas muaj nuj nqi thiab muaj sia tsis hais cov ciaj ciam teb chaws, charts, graphs, ntaub ntawv tseem ceeb, txuj ci puab sau cia tej ntsa zeb ntsa tsev, duab kos cia hauv ntawv, duab yees cia, thiab tej txuj ci tes taw khaws ua puav pheej cia.

Ib Xyoo Kub siab kawm txog
Hla Dhau ntau Puas Xyoo

Xyoo no koj tus me nyuam yuav kawm txog keeb kwm ntiaj teb uas yog siv phau ntawv hu tias *Hla Dhau ntau Puas Xyoo*. Lub hom phiaj yog tsi rau:

- Kev vam meej nyob hauv Africa, Asia, Europe thiab Amelikas qaum teb thiab qab teb, thiab qhov zoo qhov phem los ntawm ciam luaj viam av, kev kawm, kev ntseeg, kev coj, thiab zog ntawm tub rog hauv lawv txoj kev txhim kho nthuav dav;
- Kev sib piv cov neeg ntawm cov pej xeem ua liaj ua teb, cov neeg ua lag luam, cov thawj tub rog, thiab cov neeg muaj nyiaj muaj txiaj yav dhau los ntau pua xyoo;
- Cov kev sib xws ntawm cov kev vam meej thiab cov teb chaws (empires) hauv cov thaj av sib txawv thiav lub sij hawm sib txawv;
- Kev huam vam loj hlob los ntawm txoj kev lag luam thiab pauv chaw ntawm txoj kev kawm txuj ci tau hloov qhov neeg lub siab xav tau los li cas.

Thoob plaws ib lub xyoo no, koj tus me nyuam yuav tau nyeem ib cov phau ntawv txuam nrog los ntawm Houghton Mifflin Social Studies Library.

Koj Muaj Peev Xwm Pab li cas

Thoob plaws txoj kev kawm ntawv xyoo no, peb yuav thov koj mus koom tes pab koj tus me nyuam txoj kev kawm. Lub ntuj sab nraum chav tsev kawm ntawv muaj dab neeg muaj nqi ntau. Koj txoj kev pab kom muaj siab, txhawb, thiab nthuav qhia txog koj lub neej uas tau paub tau pom yuav ua kom koj tus me nyuam txoj kev kawm nthuav dav ntxiv xwb.

Lub caij kawm ntawv xyoo no, koj yuav tau txais ntau tsab xov xwm xws li tsab no. Ib tsab twg yuav qhia txog cov txuj ci koj tus me nyuam tab tom kawm. Tsab xov xwm no tseem yuav pab tawm tswv yim txog cov hauj lwm uas koj muaj peev xwm ua pab koj tus me nyuam nyob tom vaj tom tsev. Cov hauj lwm tau tsim los txhawb thiab ntxiv nuj nqi rau cov txuj ci tau paub thiab tau pom tom tsev kawm ntawv. Cov hauj lwm no tej zaum kuj muaj kev ua si, kawm ib daim ntawv pheem thib teb chaws, nyeem ib zaj dab neeg los ib tsab ntawv xov xwm, los mus saib ib lub tsev nyeem ntawv. Txoj hauj lwm ua tom tsev no yuav pab txhawb kom koj tus me nyuam txoj kev to taub thiab kev lom zem txog ntawm kev kawm neeg lub neej nthuav dav ntxiv.

Kev Koom Tes hauv Tsev
Home Involvement

UNIT 1 COV KEV TXUAS RAU YAV NTUJ QUB QAB

Yam Koj tus Me nyuam Tab tom Kawm hauv Nqe 1

Nqe no tshawb kom pom tias peb cov neeg niaj hnub no thiab cov yav dhau los thaum ub pom lub ntiaj teb no sib txawv heev npaum li cas. Thaum cov neeg muaj kab lig kev cai thiab kev noj kev haus sib txawv los sib ntsib, lawv nthuav kom dav txog technology thiab cov tswv yim. Qhov kawm txog lub neej thiab cov kab lig kev cai ntawm cov neeg Roman, Persian, Indian, thiab Chinese (suav), koj tus me nyuam yuav kawm paub tias cov kev sib ntsib ntawm tej pab neeg sib txawv no tau ua rau ib pab tau hloov lwm pab los li cas. Koj tus me nyuam yuav pom tias txhua yam hauv txhua hnub hauv yav dhau los qhia rau peb paub txog cov neeg tau siv los li cas – Thiab lawv cov neeg muaj feem khi nrog peb cov neeg txhua hnub no li cas.

Koj Txhawb tau koj tus me nyuam txoj kev Kawm tom Tsev

TSHOOJ 1
Tsia Ib Muag Lub Ntiaj Teb Hloov li cas

- Nug kom koj tus me nyuam tshawb saib cov khaub ncaws hauv nws chav rau khaub ncaws thiab sau ib daim ntawv teev npe txog txhua tiam (centuries) ntawm cov khaub ncaws rau daim ntawv. Saib meej kom nws tshawb cov khau, cov ris, cov tsho, kaus mom, thiab cov tsho tiv no. Ntsuam xyuas cov npe no ua ke thiab suav saib los ntawm nws cov khaub nvaws no xwb, koj tus me nyuam tau muaj kev txuas lus nrog rau pes tsawg txheej (centuries).

- Hauv lub caij ob rau peb lis piam tom ntej no, pab koj tus me nyuam khaws ib cov npe tias muaj npaum li cas thiab pes tsawg yam txog cov neeg hauv koj lub tsev tau ntsib tau pom los ntawm cov neeg uas nyob txawv xeev (state). Daim ntawv ceev no muaj peev xwm ntxiv cov kev ntsib ntawm kwv tij, phooj ywg, thiab tej neeg ua lag luam tom khw. Ceeb toom rau koj tus me nyuam tias tsis ntev los no los ntau txheej (pua xyoo) dhau los lawd, cov kev sib ntsib no ua tau nyuab tshaj npaum li cas. Sib tham saib niaj hnub no yog vim dab tsis ua kom cov kev sib ntsib no yooj yim tshaj.

TSHOOJ 2
Cov Teb Chaws hauv Lub Ntuj Yav Qub Qab

- Taw tes rau cov tsev teev ntuj ntawm tej pab tej pawg neeg muaj kev ntseeg sib txawv hauv cheeb tsam neg nyob no los hauv nej lub nroog. Nrog koj tus me nyuam tham txog tias cov tswv yim thiab kev ntseeg raug coj ib qho mus rau ib qho tau li cas.

- Yog koj paub tias muaj ib tus neeg tau mus ncig lwm teb chaws, pab koj tus me nyuam teem ib lub caij nrog nws sib tham. Pab txhawb kom koj tus me nyuam nug tej yam uas tus neeg no tau kawm txog xws li cov lus, qub kab lig kev cai, khaub ncaws thiab zaub mov ntawm cov neeg nyob lwm phab ntuj.

Kev Koom Tes hauv Tsev
Home Involvement

UNIT 2 KEV HUAM VAM NTAWM KEV NTSEEG ISLAM

Yam Koj tus Me nyuam Tab tom Kawm hauv Nqe 2

Hauv pawg no koj tus me nyuam yuav kawm txog lub hauv paus thiab kev huam vam ntawm txoj kev ntseeg Islam, ib txoj ntawm cov kev ntseeg loj nyob hauv ntiaj teb. Koj tus me nyuam yuav tshawb txog kev zoo- kev phem los ntawm mem toj mem hav rau cov pawg neeg Arabian uas yog lub hauv paus uas tau tshwm sim txoj kev ntseeg los. Nws yuav tshawb pom kev ntseeg Islam cov tswv yim sib xws nrog cov kev ntseeg Judaism, thiab Christianity thiab yuav kawm txog txoj lus twv txog yav tom ntej los ntawm Mohammad.

Koj Txhawb tau koj tus me nyuam txoj kev Kawm tom Tsev

TSHOOJ 3
Tus Cag ntawm Kev Ntseeg Islam

• Pab koj tus me nyuam kom pom tias mem toj mem av tseem yog ib yam txiav txim txog peb cov hauj lwm ntau yam. Ib qhov uas nyob ze ib lub pas dej los ib tus dej, toj roob, liaj teb, los hav zoov yuav muaj feem txog yam peb ua. Nrog koj tus me nyuam ua ke sau ib daim npe ntawm cov hauj lwm ua nyob hauv phab nej nyob, xws li nuv ntses, skiing, ua vaj zaub, de los txiav txiv hmab txiv ntoo. Tom qab no mam ua ib daim ntawv teev npe txog cov hauj lwm uas koj tsis muaj peev xwm ua vim av thiab huab cua ntawm qhov koj nyob.

• Lub nroog txwj nroog laus Jerusslem yog is lub chaw pov fwm tseem ceeb rau 3 txoj kev ntseeg sib txawv —Judaism, Christianity, thiab Islam. Nrog koj tus me nyuam mus nrhiav ib phau ntawv, ib daim video, los ib tsab ntawv xov xwm hauv in lub tsev nyeem ntawv (library) uas nthuav qhia txog keeb kwm ntawm lub nroog thiab vim li cas thiaj li tseem ceeb heev.

TSHOOJ 4
Thooj Av Islam

• Koj tus me nyuam yuav kawm txog qhov loj dav thiab qhov muaj nqi tseem ceeb ntawm lub nroog Baghdad ib thaj tsam xyoo 850. Nrog koj tus me nyuam sib tham txog qhov uas tau ua rau lub nroog Baghdad tseem ceeb (Yog ib lub hauv paus rau txoj kev tswj fwm teb chaws, kev lag luam, txuj ci thiab kev kawm). Ua ke tshawb kom tau ob los peb lub nroog nyob hauv Amelikas niaj hnub no uas muaj nuj nqi tseem ceeb tib yam li ntawd.

• Koj tus me nyuam yuav tau tham txog kab lig kev cai ntawm cov neeg muslim. Pab koj tus me nyuam teev txhua yam kab lig kev cai sib txawv —tsev neeg, kev ntseeg, los pawg neeg — muaj nyob hauv nej lub zos. Hais txog cov kev uas nej ua kom cov kab lig kev cai no tsis txhob ploj thiab kom muaj ntxiv mus tsis paub kawg.

Kev Koom Tes hauv Tsev

Home Involvement

UNIT 3 SAHARAN AFRICA YAV QAB TEB (SUB-SAHARAN AFRICA)

Yam Koj tus Me nyuam Tab tom Kawm hauv Nqe 3

Hauv ntau lub lis piam tom ntej no, koj tus me nyuam tab tom yuav kawm txog kev nthuav dav huam vam hauv thooj av Africa qab teb ntawm lub niam tiaj suab puam Sahara ua ntej cov neeg Europeans tau tuaj txeem. Nws yuav sib tham txog kev huam vam los ntawm kev lag luam nyob txhua thooj av African thiab kev nthuav dav ntawm txoj kev ntseeg Islam rau Africa phab hnub poob. Koj tus me nyuam yuav tshawb pom tias cov neeg sau keeb kwm dab neeg no tau kawm txog Africa lub neej yav tas los li cas thiab kawm cov qhov chaw nto npe siab ntawm cov pawg neeg hauv Africa li cas.

Koj Txhawb tau koj tus me nyuam txoj kev Kawm tom Tsev

TSHOOJ 5
Africa Phab Hnub Poob

• Tshooj no tham txog xeem, tsev neeg kev tswj fwm kev koom ua neej nyob. Pab koj tus me nyuam ua ib daim ntawv teev npe ntawm cov kwv tij neej ntsa nyob ze nej txaus kom tau pom ib lis piam ib zaug, ib hlis ib zaug thiab ntau zaug hauv ib xyoos. Puas yog ib phab ntawv cov neeg txheeb ze nyob ze dua lwm phab? Qhov muaj koj cov neeg txheeb ze nyob puas ua teeb meem txog qhov koj txiav txim siab xaiv koj lub chaw nyob? Nrog koj tus me nyuam sib tham.

• Hnub no hauv peb lub teb chaws, tib yam li hauv African cov kab lig kev cai koj tus me nyuam yuav nyeem txog Tshooj 5, tsoom pej xeem siv dab neeg los qhia lawv tej keeb kwm rau cov me tub me nyuam. Cov keeb kwm dab neeg no tej zaum kuj yog los ntawm cov pog thiab yawg piav qhia rau tub kis xeeb ntxwv. Muaj tej zaj dab neeg yog kawm los tom tsev kawm ntawv, nyeem ib cov phau ntawv, los yog nthuav tawm hauv TV los movies. Nrog koj tus me nyuam sib hloo sau ib daim ntawv teev npe txog cov dab neeg uas neb ob leeg tau kawm los thiab ho tau kawm qhov twg los. Nrog koj tus me nyuam, tsim dua ib zaj dab neeg hais txog koj tsev neeg.

TSHOOJ 6
Africa Ruab Rab thiab phab Qab teb

• Hlau kab yog ib yam tseem ceeb heev rau cov neeg Nok. Kom koj tus me nyuam sau ib daim ntawv teev npe txog txhua yam cuab yeej hauv tsev uas yog muab hlau kab ua los. Cim cov cuab yeej uas raug siv txhua hnub.

Kev Koom Tes hauv Tsev

Home Involvement

UNIT 4 KEV VAM MEEJ NTAWM COV NEEG ASIAN

Yam Koj tus Me nyuam Tab tom Kawm hauv Nqe 4

Hauv ntau lub lis piam tom ntej no koj tus me nyuam yuav kawm txog Asian 3 thooj av- thooj av Mongol, Ottoman, thiab Mughal — thiab lawv tau loj muaj zog li cas los, tas li ntawd ho poob tsim los li cas. Yog li koj tus me nyuam yuav kawm txog cov kev vam meej hauv cov neeg suav (chinese), cov Japanese thiab cov Asian hnub poob nram hav. Cov neeg suav tau muab ib cov txiaj ntsim xws li nthuav kev tsim nyiaj txiag thiab ua kam pej xeem raws li tus peev xwm, yuav tau raug coj los kawm, tsis tas li suav tseem muaj cov kev tsim tshuaj tua phom, riam phom thiab lub yeej yeem qhia hnub poob hnub tuaj. Koj tus me nyuam tseem yuav tshawb nrhiav txog txoj kev uas cov neeg Japanese daim mem toj mem av tau muaj nuj nqi rau txoj kev huam vam, thiab hais txog lawv cov kev ntseeg, kev ntseeg Shintoism thiab ob yam Buddhism, Amida thiab Zen.

Koj Txhawb tau koj tus me nyuam txoj kev Kawm tom Tsev

TSHOOJ 7
Peb(3) Thooj Av

• Ua siab loj zam rau lwm txoj kev ntseeg yog yam tseem ceeb hauv txoj kev huam vam loj hlob ntawm Asian cov thooj av. Nrog koj tus me nyuam sau ib daim npe txog cov kev uas tej zaum peb lub teb chaws yuav zoo li cas yog tias peb lub teb chaws tsis muaj cov cai los lees tswj kev muaj siab loj zam pub txog txoj kev ntseeg.

TSHOOJ 8
Suav Teb (China)

• Koj muaj peev xwm pab koj tus me nyuam kom to taub kev tseem ceeb ntawm Mongol txoj kev tsim nthuav dav txog tus ntawv sau. Nrog koj tus me nyuam nrhiav tsib (5) yam khoom cov npe uas koj tsis muaj peev xwm hais tawm yog tsis muab coj los sau. (Ib cov piv txwv xws li: xam saib yuav tsum muas khoom noj pes tsawg yam, them nqi pes tsawg yam, teev ib cov lus qhia, ua ib cov kev thiab ciam teb -maps). Siv ua tej yam piv txwv no thiab tsis txhob muab sau saib puas tau.

• Muaj tseeb, kev tsim tau yam tshiab muaj tsawg kawg nkaus. Nrog koj tus me nyuam sau ib daim ntawv teev npe cov khoom tsim tshiab uas koj xav tias muaj ntau yam hloov mus rau qhov zoo. (Tej yam pib txwv: hluav taws xob, nkoj huab cua, computers, tshuaj tiv thaiv kab mob.) Piav saib koj lub neej yuav txawv npaum li cas yog tsis muaj cov khoom siv tsim los no. Yam khoom siv twg tau raug tsim tawm los hauv tiam koj nyob no?

TSHOOJ 9
Japan

• Cov neeg Japanese cov kab lig kev cai tau nthuav dav tawm los ntawm zaj paj lug haiku. Zaj paj lug haiku muaj 17 lub suab; thawj kab muaj 5 lub suab, kab ob muaj 7 lub suab, thiab kab 3 muaj 5 lub suab. Ua ke nrog koj tus me nyuam nrhiav ib phau ntawv hais txog paj lug haiku nyob tom tsev nyeem ntawv. Tas ntawd, sib pauv tswv yim tsim ib cov paj lug haiku hais txog koj tsev neeg, lub tsev, los tej lub sij hawm tseem ceeb hauv koj lub neej.

Kev Koom Tes hauv Tsev

Home Involvement

UNIT 5 COV NEEJ SIB FAIB (MEDIEVAL)

Yam Koj tus Me nyuam Tab tom Kawm hauv Nqe 5

Hauv pawg no koj tus me nyuam yuav kawm txog tej pab tej pawg neeg hauv Europe phab hnub poob. Nws your piv txoj kev sib faib nyob Japan thiab Europe, thiab kawm paub tias vim li cas txoj kev sib faib sib tawg nyob Japanese nyob ntev dua hauv Europe. Koj tus me nyuam yuav tshawb txog qhov zoo thiab phem los ntawm txoj kev ntseeg rau cov neeg Europeans lub sij hawm Middle Ages, thiab saib tias txoj kev tsis sib haum xeeb los ntawm kev ntseeg ntawm cov thawj coj tau tsim kev sib tawg hauv lub tuam tsev teev ntuj Christian li cas. Thaum kawg, nws yuav kawm txog kev sib ntaus sib tua ntawm cov neeg ntseeg, ib cov tsov rog tshwm sim sib tua los ntawm cov neeg Christians thiab Muslims rov sib txeeb kav thaj av hu ua Holy Land.

Koj Txhawb tau koj tus me nyuam txoj kev Kawm tom Tsev

TSHOOJ 10
Thauj Tub Rog nyob Europe thiab Japan

- Ob pab tub rog European knights thiab Japanese samurai puav leej muaj ib cov cai coj los fwj xwm lawv cov hauj lwm. Cov cai coj no kuj muaj xws li kev ua neeg siab dawb, tuav lub meej mom, tiv thaiv tsom kwm cov muaj tus zog yau, thiab muaj kev ncaj ncees rau lawv tus nom. Ua hauj lwm nrog koj tus me nyuam los sau ib daim cai coj uas yuav tsum ua raws ntawm tej pab neeg sib txawv niaj hnub no, xws li cov tub ntxhais scouts, kws kho mob, neeg txiav txim, los cov basketball players.

- Kom koj tus me nyuam tsim ib cov cai coj rau ib pab neeg hauv ib lub koom haum (club), ib chav tsev kawm ntawv, ib pab me nyuam hnub nyoog loj ib yam, ib pab neeg sib tw (sports team), los ib pawg tsev neeg. Kom nws piav cov cai coj no, thiab nthuav cov tsib lus paus ntsis vim li cas nws thiaj li xaiv cov cai coj no.

TSHOOJ 11
Europe: Kev Tswj Teb Chaws, Kev Ntseeg thiab Kev Cov Nyom

- Hauv tsev kawm ntawv, koj tus me nyuam tau kawm txog tus thawj kav teb chaws Charlemagne tsis paub nyeem ntawv thiab tsis paub sau ntawv. No tsis yog it yam txawv nyob rau lub sij hawm Middle Ages uas cov Huab Tais European yuav tsum tau siv cov qhev sau ntawv thiab cov thawj coj kev ntseeg los sau ntawv rau lawv raws siab nyiam. Kom koj tus me nyuam tau ntsib tau pom txog qhov uas tso tseg tsis sau ntawv ib lub sij hawm thiab los kom koj pab sau ntawv txog txhua yam pub rau nws, tsis hais tej yam uas yuav tsum cia rau nyias tus kheej xwb (personal). Tom qab lub sij hawm ntawd, sib tham txog cov nws tau kawm thiab tau paub txog. Muaj yam twg yog yam zoo thiab yam twg yog yam tsis zoo txog qhov yuav tsum cia lwm tus sau ntawv rau koj?

- Cov tsev teev ntuj (Catherals) uas tau tsim hauv lub caij Middle Ages tseem ceeb kawg, Yog ib lub luag hauj lwm loj kawg uas siv sij hawm txog tsheej 100 xyoo los tsim ntsa. Pab txhawb kom koj tus me nyuam nyeem ib phau ntawv txog lub tsev teev ntuj cathedral). (David Macaulay's Cathedral: Dab Neeg txog Kev Tsim Ntsa yog ib phau ntawv zoo tsim nyog xaiv coj los nyeem).

Kev Koom Tes hauv Tsev
Home Involvement

UNIT 6 EUROPE: XYOO 1300 TXOG XYOO 1600

Yam Koj tus Me nyuam Tab tom Kawm hauv Nqe 6

Hauv lub sij hawm ntau lis piam tom ntej no koj tus me nyuam yuav kawm txog cov kev hloov kom huam vam loj nyob hauv Europe uas tau coj kev los cob rau lub sij hawm Tshwm Sim Dua Tshiab (Renaissance), tau txuas ntxiv los txog lub sij hawm Hloov Dua Tshiab (Reformation), thiab ho coj mus hais txog lub sij hawm cov neeg European nrhiav av (European Exploration) thoob ntiaj teb no. Nws yuav tshawb pom tias txoj kev rov los xaiv txais tswv yim yog lub hauv paus ua kom muaj kev hloov txuj ci (scientific revolution), thiab kom tau muaj kev cov nyom nyob hauv tsev teev ntuj Catholic (Catholic Church).

Koj Txhawb tau koj tus me nyuam txoj kev Kawm tom Tsev

TSHOOJ 12
Tshwm Sim Dua Tshiab

• Cov lus qhia los ntawm ib phau ntawv Italian qub hais txog ua neeg paub cai (Book of Manners) tau nthuav qhia tias kom neeg tsis txhob nqa pa dig hniav tom qab ob lub pob ntseg los tsis txhob muab ntawv so tes los txhuam hniav. Pab koj tus me nyuam nthuav ib cov lus qhia txog kev ua neeg paub cai zoo niaj hnub no.

TSHOOJ 13
Hloov Dua Tshiab thiab Pauv kev Txuj Ci

• Nyog hauv tsev kawm ntawv, koj tus me nyuam yuav kawm kev tshawb pom los ntawm Newton (Newton discovery) txog qhov hnyav (gravity), qhov tseeb ntawm txhua yam poob ceev tib yam, tsis hais tias hnyav thiab loj li cas. Sim cov txuj ci scientific no nrog koj tus me nyuam kom pom tseeb. Tuav ob yam khoom, xws li ib sab tes tuav ib lub nyiaj npib (quarter) thiab ib sab tuav ib daim ntawv zuaj ua ib lub qe. Kom koj tus me nyuam ntsia zoo thaum koj tso ob yam khoom no poob tib lub sij hawm ua ke. Nrhiav lwm yam khoom uas hnyav sib txawv thiab zoo sib txawv los sib hloo sim tso poob tib yam.

• Hauv tsev kawm ntawv, koj tus me nyuam yuav nyeem txog cov neeg txoj kev ntshai thiab tau xav li cas thaum lub caij Edward Jenner muab cov tshuaj tiv kab mob qhua pias los sim kawm txhaj rau cov neeg. Sib tham txog cov kev kho mob nrhiav tau tshiab thiab tau hloov hauv koj lub neej tam sim no. Nrog koj tus me ua hauj lwm nrhiav sau cov khoom tshawb tsim tshiab los cov tau hloov nyob hauv kev kho mob thiab kho hniav. Muaj yam dab tsis zoo thiab phem los ntawm txhua yam tau tshwm sim tshiab los hloov hauv neb daim ntawv teev npe?

TSHOOJ 14
Lub Caij Tho Ntuj Nrhiav Teb Chaws

• Ntaub ntawv sau txog kev ncig ntuj ncig teb xws li Ibn Battuta thiab Marco Polo tau txhawb kom lwm tus kub siab txog qhov kev tshawb nrhiav lwm thaj av tshiab. Nrog koj tus me nyuam sau ib daim npe txog cov chaw uas koj tau hnov los ntawm lwm tus uas tau ncig mus txog.

Kev Koom Tes hauv Tsev
Home Involvement

UNIT 7 KEV VAM MEEJ HAUV COV AV AMELIKAS

Yam Koj tus Me nyuam Tab tom Kawm hauv Nqe 7

Hauv lub sij hawm ntau li pias tom ntej no, koj tus me nyuam yuav kawm txog cov hauv paus thiab kev nthuav dav huam vam ntawm ntau thooj av uas txawm nyob ntawm cov av Amelikas ua ntej cov Europeans tuaj txog. Koj tus me nyuam yuav tshawb txog 4 lub sij hawm ntawm American cov kev vam meej thiab muab coj los piv txog lawv cov kev ua liaj ua teb, ua lag luam, kev ntseeg thiab cov neeg muaj neeg pluag. Nws yuav los to taub txog tias cov neeg sau keeb kwm dab neeg (historians) thiab cov neeg tshawb txog yav thaum ub (archaeologists) uas siv tej pov thawj tshawb pom coj los ntsuam saib kab lig kev cai ntawm cov neeg yav thaum ub li cas.

Koj Txhawb tau koj tus me nyuam txoj kev Kawm tom Tsev

TSHOOJ 15
Amelikas kev Vam meej Yav thaum Ub

- Hais koj tus me nyuam kom ua piv txwv tias cov neeg yav thaum ub tau tshawb pom tias neeg muaj peev xwm muab noob txiv coj los cog tau ntoo tshwm sim tuaj li cas. Tej zaum ntshai muaj ib tus neeg tau yuam kev ua ib lub noob txiv poob rau hauv av ces tom qab thiaj tau xam pom tias noob txiv txhwm sim ntoo tuaj. Kom ua ke sau ib Fab kis. Tam sim no lawv txoj kev tswj teb chaws hom twg? Thaum lub sij hawm.

- Zaj dab neeg los ib zaj paj lug qhia txog kev ua liaj ua teb, tu tsiaj tu txhuv tau nthuav dav los li cas.

TSHOOJ 16
Ob Thooj av Amelikas

- Pab koj tus me nyuam to taub zoo ntxiv txog qhov tias cov neeg tshawb puav pheej nruab thiv (arcaeologists) kawm cov pov thawj uas lawv tau tshawb pom, sa ib qho "tshawb hauv tsev (household dig)". Kom txhua tus neeg nyob hauv tsev los koom tes xaiv ntau yam khoom uas tseem ceeb rau lawv lub neej txhua hnub. Muab cov khoom tas nrho coj los tso hauv ib lub thawv ntawv thiab nrog koj tus me nyuam maj mam tshawb cov khoom no ib yam zuj zus thiab qhia saib yam khoom no yuav qhia tawm li cas rau ib tug archaeologist uas kawm txog peb kab lig kev cai yav tom ntej.

- Hauv tsev kawm ntawv, koj tus me nyuam yuav pom ntau nplooj ntawv los ntawm cov phau ntawv Aztec uas nyob hauv cov Aztecs tau siv duab qhia txog lawv cov neeg hauv txhua hnub. Nrog koj tus me nyuam ua ib phau ntawv zoo sib xws li ntawd los thau (kos) ib cov duab los sau tej yam nyob ntawm nej lub neej txhua hnub hauv ib lub sij hawm 2 lub lis piam. Coj los piv nrog Aztec phau ntawv. Muaj yam twg zoo sib txawv thiab yam twg zoo sib xws?

Kev Koom Tes hauv Tsev

Home Involvement

UNIT 8 EUROPE: XYOO 1600 TXOG XYOO 1789

Yam Koj tus Me nyuam Tab tom Kawm hauv Nqe 8

Hauv nqe no, koj tus me nyuam yuav kawm paub txog cov kev hloov ceev loj hauv cov kev tswj teb chaws European thaum cov xyoo 1600s thiab 1700s. Nws yuav pom cov xwm txheej hloov txog txuj ci technology uas tau txhawb kom muaj pev xwm tsim tau cov zaub mov thiab cov khoom siv ntau tshaj qub. Koj tus me nyuam tseem yuav tshawb txog cov kev hloov uas hu tias Taws Teeb Ci Ntsa Iab (Enlightment) uas tau coj los xaus rau txoj kev hais txog txhua tug neeg cov cai. Thaum kawg, koj tus me nyuam yuav kawm txog ob qhov xwm txheej tsis txaus siab tawm tsam nrog tseem fwv (revolutions)— Cov neeg Amelikas thiab Fab kis— thiab saib tias cov xwm txheej no tau mus xaus rau txoj kev tshwm sim ntawm pej xeem txoj cai (constitution).

Koj Txhawb tau koj tus me nyuam txoj kev Kawm tom Tsev

TSHOOJ 17
Kev Tswj Fwm teb chaws thiab kev Huam Vam European

- Tshawb xyuas ib lub teb chaws uas thaum ub taus ua ib lub teb chaws hauv kev caij tsuj (colony) ntawm Britain los raug caij tsuj lawv txoj kev tswj fwm teb chaws hom zoo li cas? Nrog koj tus me nyuam sib tham txog qhov ua ib lub teb chaws colony ntawm English tau pab thiab tau coj kev txhov siab rau Amelikas cov colonies li cas.

TSHOOJ 18
Kev Ci Ntsa Iab

- Ib lub tswv yim loj tshaj plaws txog txoj kev ci ntsa ia yog qhov tias txhua tus neeg muaj cai sib luag. Lub niam tswv yim no muaj feem dab tsis rau peb lub teb chaw niaj hnub no?

Tsev–Tsev Kawm Ntawv kev Koom Tes

The Home-School Link

Ib Xyoo Kub Siab Kawm txog *Dhau Ntau Pua Xyoo*

Xyoo no koj tus me nyuam tau kawm txog keeb kwm ntiaj teb uas yog siv phau ntawv hu tias *Hla Dhau Ntau Pua Xyoo*. Lub hom phiaj yog tsi rau:

- Kev vam meej nyob hauv Africa, Asia, Europe thiab Amelikas qaum teb thiab qab teb, thiab qhov zoo qhov phem los ntawm thooj av thiab tib neeg, kev kawm, kev ntseeg, kev coj, thiab zog ntawm tub rog hauv lawv txoj kev txhim kho nthuav dav;

- Kev piv cov neeg ntawm cov pej xeem ua liaj ua teb, cov neeg ua lag luam, cov thawj tub rog, thiab cov neeg muaj nyiaj muaj txiaj yav dhau los ntau pua xyoo;

- Cov kev sib xws ntawm cov kev vam meej thiab cov teb chaws (empires) hauv cov thaj av sib txawv los lub sij hawm sib txawv;

- Kev huam vam loj hlob los ntawm txoj kev lag luam thiab pauv chaw ntawm txoj kev kawm txuj ci tau hloov qhov neeg lub siab xav tau los li cas.

Thoob plaws lub xyoo no, koj tus me nyuam tau nyeem ib cov phau ntawv los ntawm Houghton Mifflin Social Studies Library.

Tswj kom Tub Ntxhais Kawm Ntawv Muaj Siab Xav Paub thiab Koom tes

Thoob plaws txoj kev kawm ntawv xyoo tas los no, koj tau txais ntau tsab ntawv qhia tswv yim kom paub txog cov kev rau koj taug pab koj tus me nyuam txoj kev kawm txog Houghton Mifflin Kev kawm neeg noob neej. Peb xav txhawb kom koj muab kev pab thiab kev koom tes li no mus ntxiv.

Xws li koj tau ua los ntau lub hli dhau los lawd, yuav tsum koom tes nrog kev kawm txog neeg noob neej (social studies). Nrhiav cov caij los txhawb koj tus me nyuam txoj kev kawm ntawv. Tej duab, ntawv sau cia, TV programs, ntawv xov xwm thiab phau xov xwm (magazines), dab neeg hauv tsev, nthuav qhia nyob chaw ceev txuj ci qub (museum), tej hauj lwm hauv neeg zej zog thiab ua kab lig kev cai, ua kev xaiv ntsa, thiab ntaub ntawv hauv lub tsev rau ntawv (library) puav leej yog cov chaw mus coj dab neeg los rau lub neej. Qhov uas qhia kom koj tus me nyuam paub txog cov xwm tseem ceeb no, koj cev lus rau koj tus me nyuam kom ntseeg tias txoj kev kawm txog dab neeg tsis yog ib yam uas yuav tsum tau kawm tom tsev kawm ntawv xwb, tiam sis yog ib yam muaj nuj nqi nyob hauv peb suav daws lub neej.

ទំនាក់ទំនងរវាងផ្ទះ និងសាលារៀន
The Home-School Link

កម្មវិធីសិក្សាអំពីសង្គមវិជ្ជាហ៊ូតុន មិហ្វ្លិន

កូនរបស់អ្នករៀននឹងចាប់ផ្តើមឆ្នាំថ្មីទៅ ក្នុងកម្មវិធីសិក្សាសង្គមវិជ្ជាហ៊ូតុន មិហ្វ្លិន។

គោលបំណងនៃកម្មវិធីគឺដើម្បីបង្កើតការ ចេះដឹង ការចុះប្រសប់ និងតម្លៃលរដ្ឋ ដែលកុមារាងកុមារីត្រូវការសំរាប់ អោយគេក្លាយទៅជាពលរដ្ឋដែលមាន ការទទួលខុសត្រូវនៅក្នុង សតវត្សទី ២១។ គោលបំណងនេះអាចសំរេចបាន ដោយបង្ហាញការសិក្សាសង្គមវិជ្ជា អោយមានលក្ខណៈដូចជាការនិទាន រឿងក្បោះក្បាយអំពីមនុស្សដែលរៀបចំ ទ្រង់ទ្រាយពិភពលោករបស់យើង។ ចំណុចសំខាន់នៃកម្មវិធីនេះ គឺជាជំនឿ ដែលជឿថាសិស្សសិក្សារៀនសូត្រ បានល្អប្រសើរបំផុត នៅពេលគេចាប់ ចិត្តទៅលើអ្វីដែលគេកំពុងសិក្សារៀន សូត្រ។ ដោយពាក្យនិយាយរៀបរាប់ តែភាគខ្លះៗ នៃរឿង ការសិក្សាសង្គម វិជ្ជាហ៊ូតុន មិហ្វ្លិន បង្កើតសៀវភៅ ភាគដែលយើញទៅគួរអោយចាប់ អារម្មណ៍ ពោរពេញទៅដោយភាព រស់រវើកៗ ការប្រមូលផ្តុំដែនទី គំនូស តារាង ឯកសារ ផ្នាំងគំនូរ រូបថ្លាក់ គំនូរ រូបភាព និងវត្ថុបូរាណ។

ឆ្នាំដំរំដើរបំផុលខាងមុខមួយជាមួយនិង អ្វូ កាលីហ្វ៊ីញ៉ា

ឆ្នាំនេះកូនរបស់អ្នកនឹងសិក្សាប្រវត្តិសាស្ត្រពិភពលោកដោយប្រើសៀវភៅ *សតវត្សក្នុងផុតទៅ*។ ចំណុចដែលយកចិត្តទុកដាក់គឺ :

- អារ្យធមិនៅក្នុងប្រទេសអាហ្រ្វិក អាស៊ី អឺរ៉ុប អាមេរិកខាងជើង និង អាមេរិកខាងត្បូង និងឥទ្ធិពលដែល ភូមិសាស្ត្រ ការសិក្សា សាសនា អ្នកគ្រប់គ្រង កម្មាំងយោធា មាន ទៅលើ ការចំរើនលូតលាស់នៃតំបន់ ទាំងនេះ
- ជ្រើសរើសឆ្លើយជីវិតរស់នៅរបស់អ្នក ស្រុកចំការ ពាណិជ្ជករ អ្នកចម្រៀង និងអភិជន នៅក្នុងសតវត្សក្នុងផុត ទៅ
- ភាពប្រហាក់ប្រហែលគ្នានៃអារ្យធមិ និងចក្រភពនៅទីក្រុងផ្សេងៗគ្នា និងពេលវេលា ផ្សេងៗគ្នា
- ការចំរើនលូតលាស់នៃផ្នែកជំនួញ និងការផ្សេរការសិក្សារៀនសូត្រទៅវិញទៅមកបាន ផ្លាស់ប្ដូរគំនិតរបស់មនុស្ស យ៉ាងដូចម្ដេចដែរ។

ដូចគ្នានេះដែរ ពេញមួយឆ្នាំកូនរបស់អ្នកនឹងអានសៀវភៅរឿងទៀតៗ ដែលមានការពាក់ព័ន្ធទៅ នឹងចំណុចខាងលើចេញពីបណ្ណាល័យសង្គមវិជ្ជាហ៊ូតុន មិហ្វ្លិន។

តើអ្នកអាចជួយបានដោយរបៀបណា

ពេញមួយឆ្នាំ យើងនឹងសូមអោយអ្នកចូលរួមនៅក្នុងការសិក្សារៀនសូត្ររបស់កូនអ្នក។ ពិភព ដែលនៅក្រោថ្នាក់រៀន គឺពោរពេញទៅដោយប្រវត្តិសាស្ត្រ។ ការជម្រុញ ការខ្ចបខ្ចម និងការ ពិភាក្សាអំពីការពិសោធន៍នៃជីវិតរបស់អ្នក នឹងជម្រុំកការសិក្សារបស់កូនអ្នក។

នៅក្នុងឆ្នាំសិក្សា អ្នកនឹងបានទទួលព្រឹត្តិប័ត្រខ្លះៗ។ ដូចព្រឹត្តិប័ត្រមួយនេះៗ ព្រឹត្តិប័ត្រនិមួយៗ នឹង មានការសង្ខេបមាតិការ ដែលកូនអ្នកសិក្សារៀនសូត្រ។ ហើយក៏មានផ្តល់យោបល់នូវសកម្មភាព ពិតប្រាកដ ដែលជាប់ទាក់ទងទៅនឹងមេរៀន ដែលអ្នកអាចធ្វើទៅផ្ទះជាមួយកូនអ្នក។ សកម្មភាព ទាំងនេះរៀបចំឡើង ដើម្បីពង្រឹង និងបន្ថែមអត្ថន័យទៅលើការពិសោធន៍នៅក្នុងថ្នាក់រៀនៗ។ សកម្មភាពទាំងនេះ អាចមានការចូលរួមលេងល្បែងកំសាន្ត ការសិក្សាពីផែនទី អានរឿង ឬ សារពត៌មាន ឬការទៅបណ្ណាល័យប្រចាំមូលដ្ឋានៗ។ ធ្វើកិច្ចការជាមួយកូនអ្នកទៅផ្ទះនឹងជួយពង្រឹក ការយល់ដឹងរបស់កូនអ្នក និងមានការសប្បាយរីករាយក្នុងការសិក្សាសង្គមវិជ្ជា។

ការសហការទៅផ្ទះ

Home Involvement

UNIT 1 ការទាក់ទងគ្នាទៅពិភពបុរាណកាល

ផ្អីដែលកូនអ្នកកំពុងរៀននៅវគ្គទី១

វគ្គនេះ ពិភាក្សាពីបញ្ហាជាតិ
ទស្សរៈរបស់យើង ស្តីពីពិភពលោក
ពេលបច្ចុប្បន្ននេះ ទុសគ្នាពីទស្សរៈ
មនុស្សជំនាន់អតីតកាល បានឃើញ
នោះ យ៉ាងដូចម្ដេចដែរៗ នៅពេល
ដែលសង្គមចូលរួមទាក់ទងរវាងគ្នានិង
គ្នា គេផ្សព្វផ្សាយបច្ចេកទេស និង
គំនិតៗ តាមការសិក្សាពីរប្បធម៌របស់
ជនជាតិ រ៉ូម៉ាំង ក៏បរិស៊ីន អ៊ុនឡេន និង
ចិន កូនរបស់អ្នកនឹងសិក្សាអំពីលក្ខណៈ
ដែលទាក់ទង នៅក្នុងចំណោមជំពូក
មនុស្សប្បេកៗ ពិត្ការនេះបានតែប្រែគ្នា
ទៅវិញទៅមកយ៉ាងដូចម្ដេចៗ កូន
របស់អ្នកក៏នឹងយឃញ្ចវា វគ្គប្រើប្រាស់ជា
រៀងរាល់ថ្ងៃពិអតីតកាល អាចប្រាប់
យើង អំពីមនុស្សដែលប្រើប្រាស់វត្ថុ
ទាំងនោះយ៉ាងណា និងពិរប្បេបការ
រស់នៅរបស់គេ មានការទាក់ទងទៅ
និងជីវិតរស់នៅសព្វថ្ងៃរបស់យើង
យ៉ាងដូចម្ដេចៗ

សកម្មភាពដែលអ្នកអាចធ្វើទៅផ្ទះ ដើម្បីជួយក្នុងការសិក្សារបស់កូនអ្នក

ជំពូកទី១

ការផ្លាស់ប្ដូរទស្សរៈពិភពលោក

- អោយកូនរបស់អ្នករកមើលសំលៀកបំពាក់នៅក្នុងទស្សនៈទុកដាក់សំលៀកបំពាក់ រូបធ្វើ
តារាងរាយឈ្មោះ ពីប្រទេសផ្សេងៗ ដែលមានឈ្មោះនៅលើផ្លាកសំលៀកបំពាក់ទាំង
នោះៗ ត្រូវបញ្ជាក់ថាកុមារា កុមារី ដាក់បញ្ចូល ស្បែកជើង អាវ ខោ មុក និង អាវធំ
រងារៗ មើលតារាងជាមួយគ្នាឡេីងវិញ ហេីយរាប់ចំនូនប្រទេស ដែលកូនរបស់អ្នកបាន
ធ្វើការទាក់ទងតាមរយៈសំលៀកបំពាក់របស់ខ្លួនៗ

- នៅក្នុងកំឡុងពេលពីរ បិសប្ដាហ៍ក្រោយមក ជួយកូនរបស់អ្នកកត់បញ្ជីចំនួន និងប្រភេទមនុស្ស
ដែលមានការទាក់ទង នៅក្នុងឧទង់គ្រួសាររបស់អ្នក ជាមួយនិងមនុស្សដែលរស់នៅក្រៅ
រដ្ឋរបស់អ្នកៗ បញ្ជីអាចមានរួមបញ្ចូលទៅដោយការទាក់ទង ញាតិសន្ថាន មិត្តភ័ក្រ និង
ជំនួញ/ការទិញទំនិញសំវារៗ រំលឹកកូនអ្នកថា ទោះជាពេលមួយរយឆ្នាំថ្មីៗ ដែលកន្លងផុតទៅ
ការទាក់ទងរប្បេបនេះមានការពិបាកជាងច្រើនណាស់ៗ ពិភាក្សាពីអ្វីៗ ដែលអាចធ្វើ
អោយទំនាក់ទំនងនេះ មានការស្រួលជាងនៅក្នុងពេលសព្វថ្ងៃនេះៗ

ជំពូកទី២

ចក្រភពនៃពិភពបុរាណកាល

- ចង្កុលបង្ហាញអគារដែលប្រើសំរាប់ធ្វើពិធិសក្ការៈបូជា ដោយក្រុមសាសនាផ្សេងៗ នៅ
ក្នុងសហគមន៍ ឬទីក្រុងរបស់អ្នកៗ និយាយជាមួយនិងកូនរបស់អ្នកអំពីគំនិត និងដំនឿ
ដ៏ពិរំនាំយកពីកន្លែងមួយទៅកន្លែងមួយទៀតយ៉ាងដូចម្ដេចៗ

- បើសិនជាអ្នកស្គាល់នរណាម្នាក់ដែលបានធ្វើដំណើរទៅប្រទេសផ្សេងៗ ជួយកូនរបស់អ្នក
រៀបចំការធ្វើសម្ភាសន៍មួយជាមួយអ្នកទាំងនោះៗ ជំរុញទឹកចិត្តអោយកូនអ្នករកអ្វីដែលជន
នេះបានដឹងអំពីភាសា ទំនៀមទម្លាប់ សំលៀកបំពាក់និងមុខអាហាររៃនមនុស្សដែលរស់នៅ
ផ្នែកផ្សេងៗ ទ្យេត់នៃពិភពលោកៗ

ការសហការនៅផ្ទះ
Home Involvement

UNIT 2 វឌ្ឍនភាពសាសនាអ៊ីស្លាម

អ្វីដែលកូនអ្នកកំពុងរៀននៅក្នុងភ្លូមទី២

នៅក្នុងភ្លូមនេះ កូនរបស់អ្នកនឹងសិក្សា ពីដើមកំណើត និងការចំរើនលូតលាស់ របស់សាសនាអ៊ីស្លាម ដែលជា សាសនា ដ៏ធំមួយនៅក្នុងពិភពលោក។ កូនរបស់អ្នក នឹងរុករកឥទ្ធិពលនៃ ភូមិសាស្ត្រទៅលើសហគមន៍ជនជាតិ អារ៉ាប់ ដែលជាទីកន្លែងសាសនា អ៊ីស្លាម បានចាប់ផ្ដើមកើតឡើង។ សិស្សក៏នឹងដឹងពីភាពជិតស្និទ្ធរវាង សាសនាជូដាស និងសាសនាគ្រីស្ត ហើយនឹងសិក្សាអំពីវប្បធម៌មូស្លីមដ៏ល្អត់។

សកម្មភាពដែលអ្នកអាចធ្វើនៅផ្ទះ
ដើម្បីជួយក្នុងការសិក្សារបស់កូនអ្នក

ជំពូកទី៣
ដើមកំណើតសាសនាអ៊ីស្លាម

* ជួយកូនរបស់អ្នកអោយឃើញថាភូមិសាស្ត្រ នៅតែធ្វើការកំណត់ពីសកម្មភាពដ៏ច្រើន របស់យើង។ ការរស់នៅជិត បឹង ឬទន្លេ ភ្នំ ស្រែចំការ វាលខ្សាច់ ឬព្រៃឈើមានឥទ្ធិពល ទៅលើអ្វីដែលយើងធ្វើ។ ធ្វើតារាងឈ្មោះជាមួយគ្នាពីសកម្មភាពធម្មតា ដែលធ្វើឡើង នៅក្នុងភូមិភាគរបស់អ្នក ដូចជាការនេសាទត្រី ការលេងស្គី ការធ្វើច្បារដំណាំ ការបេះ ផ្លែឈើរដោយខ្លួនឯង ឬការតារទឹកកក។ រួចធ្វើតារាងផ្សេងមួយទៀតពីសកម្មភាពខ្លះៗ ដែលអ្នកពុំអាចធ្វើបានដោយយមកពីភូមិសាស្ត្រនៃទីកន្លែងអ្នករស់នៅ។

* ទីក្រុងជេរ៉ូសាឡឹមនៅសម័យបុរាណកាលជាទីពិសដ្ឋនៃសាសនាបីផ្សេងៗ គ្នា — សាសនាជូដាស សាសនាគ្រីស្ត និងសាសនាអ៊ីស្លាម។ រកមើលជាមួយនឹងកូនរបស់អ្នកពី ស្យេវភៅ កាសែតវីឌីអូ ឬអត្ថបទមួយចំនួននៅក្នុងបណ្ណាល័យ ដែលពន្យល់ពីប្រវត្តិសាស្ត្រ ទីក្រុង និងហេតុដូចម្ដេចបានជាមានលក្ខណៈសំខាន់ម្លេះ។

ជំពូកទី៤
ចក្រភពអ៊ីស្លាម

* កូនរបស់អ្នកនឹងសិក្សាអំពីទំហំដ៏ធំធេង និងកិច្ចសំខាន់ៗនៃទីក្រុងបាងដេត នៅក្នុងឆ្នាំ៨០។ ពិភាក្សាជាមួយកូនរបស់អ្នក ពីអ្វីដែលធ្វើអោយទីក្រុងបាងដេតសំខាន់ (ជាទីប្រមូលផ្ដុំ សំរាប់រដ្ឋាភិបាល ពាណិជ្ជកម្ម សិល្បៈ និងការសិក្សា)។ រួមជាមួយគ្នារកទីក្រុងពីរ ឬ បីនៅក្នុងសហរដ្ឋអាមេរិកសព្វថ្ងៃ ដែលមានលក្ខណៈសំខាន់ដូចគ្នា។

* កូនរបស់អ្នកនឹងពិគ្រោះអំពីវប្បធម៌អ៊ីស្លាម។ ជួយកូនរបស់អ្នករាយឈ្មោះកត្តាផ្សេងៗនៃ វប្បធម៌—គ្រួសារ—សាសនា—ជាតិពន្ធ—ដែលមាននៅក្នុងសហគមន៍របស់អ្នក។ និយាយជាមួយកូនរបស់អ្នក អំពីរបៀបដែលអ្នកធ្វើការបញ្ជាក់ថា វប្បធម៌ទាំងនេះ នៅតែមានបន្តទៅមុខ។

ការសហការនៅផ្ទះ
Home Involvement

UNIT 3 អនុ-សាហារ៉ាន់ប្រទេសអាប្រ្វិក

អ្វីដែលកូនអ្នកកំពុងរៀននៅក្នុងភ្នំទី៣

នៅក្នុងកំឡុងពីរ បីសប្តាហ៍បន្ទាប់ទៅ នេះ កូនរបស់អ្នកនឹងសិក្សាអំពី វឌ្ឍនភាព នៃចក្រភពនៅប្រទេស អាប្រ្វិក នៅខាងត្បូងតំបន់សាហារ៉ា មុនពេលជនជាតិអឺរ៉ុបបានមកដល់។ សិស្សនឹងពិភាក្សាពីពាណិជ្ជកម្មមាន ឥទ្ធិពលទៅលើចក្រភពជនជាតិអាប្រ្វិក ឯទៀតយ៉ាងដូចម្ដេច និងការលាក ត្រជាងរបស់ជនជាតិអឺរ៉ុបមកទៅប្រទេស អាប្រ្វិកខាងលិច។ កូនរបស់អ្នក នឹងរុករកពីរបៀប ដែលអ្នកប្រវត្តិសាស្ត្រ បានសិក្សាអំពីប្រទេស អាប្រ្វិកជំនាន់ អតិតកាល និងសិក្សាអំពីចំណុចប្បធម សំខាន់ៗផ្សេងៗ នៃសង្គមជនជាតិ អាប្រ្វិក។

សកម្មភាពដែលអ្នកអាចធ្វើនៅផ្ទះ ដើម្បីជួយក្នុងការសិក្សារបស់កូនអ្នក

ជំពូកទី៥
អាប្រ្វិកខាងលិច

- ជំពូកនេះពិភាក្សាពី ញាតិសន្ថាន និងអង្គការសង្គមគ្រួសារ។ ជួយកូនរបស់អ្នកធ្វើតារាង រាយឈ្មោះ ញាតិសន្ថានដែលរស់នៅជិតៗ ដែលអ្នកអាចជួបជុមួយអាទិត្យម្ដង មួយខែម្ដង និងពីរ បីដងក្នុងមួយឆ្នាំ។ តើគ្រួសារម្នាងនេះរស់នៅជិតជាងគ្រួសារម្នាងនោះទេឬ? តើទិក្ខន្លែងដែលញាតិសន្ថានរបស់អ្នករស់នៅ មានទាក់ទងទៅលើការសំអេចិត្តគ្គរបស់អ្នក អំពីទិក្ខន្លែងដែលខ្លួនអ្នករស់នៅឬទេ? ពិភាក្សារឿងនេះជាមួយកូនរបស់អ្នក។

- សព្វថ្ងៃនេះនៅក្នុងប្រទេសរបស់យើង ក៏ដូចជានៅក្នុងវប្បធមិជនជាតិស្បែកខ្មៅដែរ (អាប្រ្វិក) កូនរបស់អ្នកនឹងអានអំពីរឿងនេះ នៅក្នុងជំពូកទី៥ មនុស្សនិយាយរឿងៗ ពីប្រវត្តិសាស្ត្ររបស់គេ។ រឿងប្រហាក់ប្រហែលគ្នាទាំងនោះ អាចនិយាយបន្តពីជីដូនជីតា ទៅចៅៗ។ រឿងខ្លះសិក្សានៅក្នុងសាលារៀន អានៅក្នុងស្យេវភៅ ឬសម្ដែងលេងនៅក្នុង ទូរទស្សន៍ និងភាពយន្ត។ រាយឈ្មោះរឿងមួយម្នាក់ជាមួយនិងកូនអ្នក ពីរឿងដែលអ្នកបាន ដឹង និងពីប្រភពដែលអ្នកបានដឹងរឿងនេះ។ បង្កើតធ្វើរឿងថ្មីៗ ជាមួយកូនអ្នកអំពីគ្រួសារ របស់អ្នក។

ជំពូកទិ៦
ភូមិភាគអាប្រ្វិកកណ្ដាល និងភូមិភាគអាប្រ្វិកខាងត្បូង

- ធាតុដែកជាវត្ថុសំខាន់បំផុតចំពោះប្រជាជនណ្តគជំទាន់ដើម។ អោយកូនរបស់អ្នកធ្វើតារាង រាយឈ្មោះវត្ថុដែលធ្វើពីជាតិដែកនៅក្នុងផ្ទះរបស់អ្នក។ រកមើលវត្ថុណាដែលប្រើប្រាស់ជា រៀងរាល់ថ្ងៃ។

ការសហការនៅផ្ទះ៖
Home Involvement

UNIT 4 អារ្យធម៌អាស៊ី

អ្វីដែលកូនអ្នកកំពុងរៀននៅវគ្គទី៨

នៅក្នុងកំឡុងពេលពីរ បីសប្ដាហ៍ក្រោយ មក កូនរបស់អ្នកនឹងសិក្សាអំពីចក្រភព អាស៊ីបីប្រភេទ—ជនជាតិម៉ុងហ្គោល អ៊ុតមែន និងមូហ្គោល—និងរបៀប ដែលគេរីកខ្លាំងក្លា រួចនៅទីបំផុត បាត់បង់អំណាចទៅវិញៗ។ ក្រោយមក កុមារា កុមារីនឹងសិក្សាពីជនជាតិចិន ជំទាន់ដើម ជនជាតិប៉ុន និងអារ្យធម៌ ជនជាតិអាស៊ី។ ការខូចឆ្កួតរបស់ ជនជាតិចិន ដូចជាការបង្កើតប្រាក់កាស និងសេរាមាលរដ្ឋ ដោយបិតទៅលើ គុណសម្បត្តិ នឹងសិក្សាពីការបង្កើត វិសេរ កាំភ្លើង និងត្រីវិស័យ។ កូនរបស់ អ្នកក៏នឹងតាមដានជាតិភូមិសាស្ត្រប្រទេស ប៉ុន ដែលមានឥទ្ធិពលទៅលើការ ចំរើនឆ្លាត និងសាសនារបស់គេ សាសនាស៊ិនតូ និងនិកាយៃព្រះពុទ្ធ សាសនាៃ អាម៉ឹដា និងហ្សេន។

សកម្មភាពដែលអ្នកអាចធ្វើនៅផ្ទះ ដើម្បីជួយក្នុងការសិក្សារបស់កូនអ្នក

ជំពូកទី៧
ចក្រភពអឺ

- ការអត់អោនដល់សាសនាផ្សេងៗ ឡើតជាការសំខាន់នៅក្នុងការចំរើនឈ្លោះលាស់ៃន ចក្រភពអាស៊ីជំទាន់ដើម។ ធ្វើការរួមគ្នាជាមួយកូនរបស់អ្នក រាយឈ្មោះពីការៃដលអាច មានភាពខុសប្លែកៗគ្នា បើសិនជាប្រទេសរបស់យើងពុំមានច្បាប់ដែលធានាការអត់អោន សាសនា។

ជំពូកទី៨
ប្រទេសចិន

- អ្នកអាចជួយកូនរបស់អ្នកអោយយល់នូវសេចក្ដីសំខាន់ៗ ៃនការបង្កើតភាសាសំណេរ របស់ជនជាតិម៉ុងហ្គោល។ ធ្វើការជាមួយកូនរបស់អ្នក រាយឈ្មោះវត្ថុប្រាប់យ៉ាងដែលអ្នកមិន អាចធ្វើទៅបានដោយគ្មានសំណេរ (ឧទារហណ៍ខ្លះៗ ដូចជា : រក្សាកំណត់នូវសេចក្ដី ត្រូវការម្ហូបអាហារ ការបង់ប្រាក់ពន្ធដាក់ ផ្ដល់សេចក្ដីណែនាំពិតប្រាកដ គូរៃផនទី)។ សាកល្បងធ្វើកម្មភាពទាំងនេះដោយពុំសរសេរ។

- ជាការពិតណាស់ ការរកឃើញ (ឬការបង្កើតឡើងនូវ)អ្វីថ្មីៗ ជាការកម្រមាន។ ជាមួយនឹងកូនរបស់អ្នក សរសេរតារាងរាយឈ្មោះពីការរកឃើញអ្វីមួយ ដែលអ្នកដឹង ថាបានធ្វើការកៃប្រែសំខាន់ៗ។ (ឧទាហរណ៍ខ្លះៗ : អគ្គិសនីយ យន្ដហោះ កុម្ព្យូទ័រ ថ្នាំចាក់បង្ការរោគ)។ និយាយអំពីជីវិតរបស់នៅខុសប្លែករបស់អ្នកយ៉ាងដូចម្ដេច បើគ្មានការរកឃើញទាំងនេះ។ តើវត្ថុអ្វីមួយដែលបានបង្កើតឡើង នៅក្នុងកំឡុង ជីវិតរបស់នៅរបស់អ្នក?

ជំពូកទី៩
ប្រទេសជប៉ុន

- អារ្យធម៌ជប៉ុនបង្កើតកំណាព្យៃហកុ។ ៃហកុមានតៃ១៧ព្យាង្គ : ជួរទី១មាន៥ព្យាង្គ ជួរទី២មាន៧ និងជួរទី៣ មាន៥។ មើលស្បៀវភៅកំណាព្យៃហកុ នៅបណ្ណាល័យ ជាមួយកូនអ្នក។ រួចបន្ទាប់មកសម្នាក់ម្ដងបង្កើតៃហកុ អំពីគ្រួសារ គេហដ្ឋាន ឬ ព្រឹត្តិការណ៍សំខាន់ខ្លះៗ នៅក្នុងជីវិតរបស់អ្នក។

ការសហការនៅផ្ទះ
Home Involvement

UNIT 5 សង្គមមជ្ឈិមសម័យ

អ្វីដែលកូនអ្នកកំពុងរៀននៅក្នុងភ្នំទី៥

នៅក្នុងភ្នំនេះ កូនរបស់អ្នកនឹងសិក្សាពី មជ្ឈិមសម័យទ្វីបអឺរ៉ុបខាងលិច។ កុមារា កុមារី និងធ្វើការប្រៀបធៀប សង្គមមជ្ឈិមសម័យ នៅក្នុងប្រទេស ជប៉ុន និងប្រទេសអឺរ៉ុប ហើយសិក្សាពី ហេតុដែលរបស់សក្តិភូមិនិយមមាននៅ ក្នុងប្រទេសជប៉ុន មានអាយុយូរជាងនៅ ក្នុងប្រទេសអឺរ៉ុប។ បន្ទាប់មកកូនរបស់ អ្នក នឹងពិនិត្យពីឥទ្ធិពលសាសនា នៅ លើជនជាតិអឺរ៉ុបនៅផ្ទះមជ្ឈិមសម័យ និងឃើញពីការពុះចែកស្រុកគ្នា នៅលើ អំណាចសាសនាដែលជាហេតុបណ្ដាល អោយមានការបែកបាក់នៅក្នុងវិហារ គ្រិស្តសាសនា។ ជាចុងបញ្ចប់ កុមារា កុមារី និងសិក្សាអំពីសង្គ្រាមសាសនា សង្គ្រាមមួយចំនួនរវាងគ្រិស្តសាសនា និងអ៊ីស្លាមដើម្បីកាន់កាប់ទឹកដីពិសិដ្ឋ។

សកម្មភាពដែលអ្នកអាចធ្វើនៅផ្ទះ ដើម្បីជួយក្នុងការសិក្សារបស់កូនអ្នក

ជំពូកទី១០
សក្តិភូមិអឺរ៉ុប និងជប៉ុន

- ទាំងអស្សប្បទិនអឺរ៉ុប និងបុទ្ធិយោធាជប៉ុន មានក្បួនច្បាប់ និងវិន័យជាក់លាក់ដែល គ្រប់គ្រង សកម្មភាពរបស់គេ។ ក្បួនច្បាប់និងវិន័យទាំងនេះ មានរួមដោយការគួរសម កិត្តិយស ការចារអ្នកទន់ខ្សោយ និងការស្មោះត្រង់ទៅលោកម្ចាស់របស់គេ។ ធ្វើការជាមួយនិង កូនរបស់អ្នក ដើម្បីធ្វើតារាងវិន័យពីតំរូវជាបាច ដែលសង្គ្រីមថានិងកើតមានឡើងនៅក្នុង ចំណោមក្រុមផ្សេងៗ សព្វថ្ងៃនេះ ដូចជាទាហារឈ្នួប រដ្ឋបណ្ឌិត ចៅក្រម ឬអ្នក លេងកីឡាបាល់បោះ។

- អោយកូនរបស់អ្នកធ្វើតារាងវិន័យសំរាប់សមាគមមួយ ថ្នាក់រៀន ក្រុមតាមវ័យ ក្រុមកីឡា ឬក្រុមគ្រួសារ។ អោយកុមារា កុមារី រៀបរាប់ពីវិន័យទាំងនេះ ហើយអោយគេពន្យល់ពី មូលហេតុដែលគេធ្វើការជ្រើសរើសវិន័យទាំងនេះ។

ជំពូកទី១១
ប្រទេសអឺរ៉ុប : វិន័យ សាសនា និងការប៉ះទង្គិច

- នៅសាលារៀន កូនរបស់អ្នកបានសិក្សាថា អ្នកគ្រប់គ្រង ឆាលឡឺម៉ាញ ពុំចេះអាន ឬចេះ សរសេរបានឡើយ។ តែពុំជាការបែកពីធម្មតាទេ នៅក្នុងមជ្ឈិមសម័យនោះ ដែលស្តេច ពឹងផ្អែកទៅលើស្មៀន និងអ្នកដឹកនាំសាសនាធ្វើការសរសេរដែលគេត្រូវការ។ អោយកូន របស់អ្នកទទួលវការពិសោធន៍នេះ ដោយលះបង់ការសរសេរក្នុងរយៈពេលមួយកំណត់ ហើយអោយកូនរបស់អ្នក មកពឹងអ្នកពីការការសរសេរទាំងអស់របស់គេ ទោះជារឿង ផ្ទាល់ខ្លួនយ៉ាងណាក៏ដោយ។ នៅពេលចុងបញ្ចប់នៃការកំណត់ពេលពិភាក្សាពីការ ពិសោធន៍នេះ។ អ្វីខ្លះមានអត្ថប្រយោជន៍ និងមិនមានអត្ថប្រយោជន៍ ក្នុងការពឹងផ្អែកទៅលើ អ្នកណាម្នាក់ក្នុងការសរសេរ?

- វិសាលវិហារបានស្ថាបនាឡើងនៅក្នុងកំឡុងមជ្ឈិមសម័យ បានបរិយាយយ៉ាងល្អិតល្អន់ កិច្ចការធំសម្បើម ដែលអាចប្រើរយៈពេលដល់ទៅមួយរយឆ្នាំក្នុងការស្ថាបនា។ ដំរុញ ទឹកចិត្តកូនរបស់អ្នក អោយអានរករៀនពីការស្ថាបនាវិសាលវិហារមួយ។ (នេះគឺជា សៀវភៅមួយដែលគួរជ្រើសរើស David Macaulay's Cathedral: The Story of its Construction.)

កាសសហការនៅផ្ទះ

Home Involvement

UNIT 6 ប្រទេសអឺរ៉ុប :1300 - 1600

ផ្នែកដែលកូនអ្នកកំពុងរៀននៅវគ្គទី៦

នៅក្នុងកំឡុងពេលពីរ បីសប្ដាហ៍ក្រោយ មក កូនរបស់អ្នកនឹងសិក្សាអំពីការផ្លាស់ ប្ដូរដំធេងនៅប្រទេសអឺរ៉ុប ដែល បណ្ដាលឱ្យកើតមានឡើងជាថ្មី នូវ ការចាប់អារម្មណ៍លើសិល្បៈអក្សរ សាស្ត្រ (Renaissance) និងបទ ជាប់ហ្គួតដល់សម៉យបដិវត្តន៍សាសនា (Reformation) និងនាំមកនូវកាល រុករករបស់ជនជាតិអឺរ៉ុប នៅទិកន្លែង ផ្សេងៗ ទ្បេវតនៅក្នុងពិភពលោកៗ កុមារា និងកុមារី ក៏នឹងរកឃើញពីការ ពិនិត្យមើលឡើងវិញនូវ គំនិតដែលគេ ទទួលយកបានបណ្ដាលឱ្យកើតមាន ឡើងបដិវត្តន៍វិទ្យាសាស្ត្រនិងការបែង ចែករិៀបរាកាតូលិកៗ

សកម្មភាពដែលអ្នកអាចធ្វើនៅផ្ទះ ដើម្បីជួយក្នុងការសិក្សារបស់កូនអ្នក

ជំពូកទី១២

ការកកើតមានឡើងជាថ្មីនូវការចាប់អារម្មណ៍លើសិល្បៈអក្សរសាស្ត្រ និងការសិក្សា

• គោលការណ៍ណែនាំសៀវភៅតំរាយរបាច ពីជនជាតិអ៊ីតាលីជំនាន់ដើមបានពន្យល់ថា មនុស្សពុំត្រូវសៀតឈើចាក់ធ្មេញនៅក្បែរតុក្រៀក ឬសំអាតធ្មេញនឹងក្រណាត់ជូតតម៉ាត់ៗ ជួយក្នុងរបស់អ្នកបង្កើតរាយនូវគោលការណ៍ណែនាំសំរាប់តំរាយរបាចល្អសព្វថ្ងៃៗ

ជំពូកទី១៣

បទដិវត្តន៍សាសនា និងបទដិវត្តន៍វិទ្យាសាស្ត្រ

• នៅសាលារៀន កូនរបស់អ្នកនឹងសិក្សាពីការរកឃើញរបស់លោកនិកតុន ស្ដីពីទិនាញ្ជផែនដី ការពិតដែលវត្ថុទាំងអស់ធ្លាក់ចុះមានល្បឿនកំរិតដូចគ្នា ពុំមានការទុកគ្មាផ្ទុះឡើយទៅលើ ទំហំ ឬទំម្ងន់ៗ ធ្វើការសាកល្បងការពិតនៅវិទ្យាសាស្ត្រនេះ ជាមួយនិកូនរបស់អ្នកៗ បញ្ចូវត្ថុពីរ ដូចជាកាក់២៥សេន និងក្រដាសសម្ពយសន្លឹកដែលធ្វើអោយខ្ទេចមូលដូចបាល់ មូលៗ អោយកូនរបស់អ្នកតាមមើលដោយយកចិត្តទុកដាក់ នៅពេលដែលអ្នកទម្លាក់ របស់ទាំងពីរនេះនៅក្នុងពេលទន្ទឹមគ្នាៗ រកមើលវត្ថុងទ្បេវៗ ដែលមានទម្ងន់ និងទំហំខុស គ្នា ហើយធ្វើការសាកល្បងវត្ថុទាំងនេះម្ដងម្ដាក់ៗ ។

• នៅសាលារៀន កូនរបស់អ្នកនឹងអានអំពីអារម្មណ៍នៃការភិតភ័យរបស់មនុស្ស នៅពេលដែល លោកអិតរ័ត ធ្វើការពិសោធន៍ដើម្បីធ្វើការសាកល្បង ថ្នាំចាក់បង្ការអាតុប្រឆាំងនឹងអាត អ្នកស្មាយៗ និយាយអំពីការរកឃើញថ្មីៗ ផ្នែកវិជ្ជាពេទ្យ ឬការផ្លាស់ប្ដូរដែលបានធ្វើឡើង នៅក្នុងជីវិតរស់នៅរបស់អ្នកៗ ធ្វើការជាមួយនិកូនរបស់អ្នក រាយឈ្មោះការរកឃើញឬ ការផ្លាស់ប្ដូរនៅក្នុងផ្នែកសុខភាព និងការថែរទាំធ្មេញៗ អ្វីខ្លះជាគុណសម្បត្តិ និងគុណវិបត្តិ នៃការរកឃើញ ឬការផ្លាស់ប្ដូរទិម្មយាៗ នៅក្នុងគារវាងរបស់អ្នក?

ជំពូកទី១៤

សម៉យរុករក

• សេចក្ដីរាយការណ៍គតមនាគារ ដូចជាសេចក្ដីរាយការណ៍របស់អាយបន បាត្ដុតា និងម៉ាកូ ប៉ូឡូ ដញ្ញទិកចិត្តអាយអ្នកងទ្បេវៗ អាយប៊ារប្រចុយទៅភូមិភាគថ្មីៗ ធ្វើតារាងនៃ ទិកន្លែងដែលអ្នកផ្ទាប់ជីងពួជាមួយនិកូនរបស់អ្នក ឬពីមនុស្សម្នាក់ផ្សេងទ្បេវ ដែលបានធ្វើ ដំណើរទៅទីនោះៗ

ការសហការនៅផ្ទះ

Home Involvement

UNIT 7 អារ្យធម៌ប្រទេសអាមេរិក

អ្វីដែលកូនអ្នកកំពុងរៀននៅក្នុងវគ្គទី៧

នៅក្នុងកំឡុងពេលពីរ បីសប្តាហ៍ក្រោយ នេះ កូនរបស់អ្នកនឹងសិក្សាអំពីដើម កំណើត និងការលូតលាស់ចក្រភព ដែលមាននៅក្នុងទ្វីបអាមេរិក មុនពេល ជនជាតិអឺរ៉ុបបានមកដល់។ កូនរបស់ អ្នក និងរុករកអារ្យធមិអាមេរិកាំង ជនជាន់ដើមបាន ហើយយធ្វើការប្រៀប ធៀបទម្លាប់នៃការធ្វើស្រែចំការ ជំនឿ សាសនា និងជាន់ថ្នាក់សង្គម។ កុមារ កុមារីនឹងបានយល់ពីរបៀបដែលអ្នក ប្រវត្តិសាស្ត្រ និងបុរាណវត្ថុវិទ្យ ប្រើ ភ័ស្តុតាង រូបដើម្បីសិក្សាពីវប្បធមិ អតិតកាលយ៉ាងដូចម្តេច។

សកម្មភាពដែលអ្នកអាចធ្វើនៅផ្ទះ ដើម្បីជួយក្នុងការសិក្សារបស់កូនអ្នក

ជំពូកទី១៥

អារ្យធមិអាមេរិកាំងជនាន់ដើម

- អោយកូនរបស់អ្នកធ្វើការប៉ាន់ស្មាន អំពីការដែលមនុស្សជនាន់ដើម អាចរកឃើញកូនរុក្ខជាតិ ដែលអាចលូតលាស់ដុះចេញពីគ្រាប់យ៉ាងដូចម្តេច។ ប្រហែលជាគណនាម្នាក់ទម្លាក់គ្រាប់ នោះដោយចៃដន្យនៅលើដី ហើយក្រោយមកដឹងថាគ្រាប់អាចបណ្ណុះបាន។ សរសេររឿង ខ្លីៗ មួយ ឬកំណាព្យជាមួយនឹងកូនអ្នក ដែលពិពណ៌នារបៀបនៃពីការបង្កើតកសិកម្មជាលើក ដំបូង។

ជំពូកទី១៦

ចក្រភពអាមេរិកាំងពីរ

- ដើម្បីជួយអោយកូនរបស់អ្នកយល់បានកាន់តែប្រសើររឿង នូវរបៀបដែលបុរាណវត្ថុវិទ្យ សិក្សាពីអតីតកាល ដោយប្រើភ័ស្តុតាង អ្នកគូររបៀបចំធ្វើ " ជំនឹកក្រុមគ្រួសារ " ។ អោយសមាជិកម្នាក់ៗ ជ្រើសរើសវត្ថុពីរបីយ៉ាងដែលផ្តល់ទ្បើងជាតំណាងជីវិតរបស់នៅ ប្រចាំថ្ងៃរបស់ខ្លួន។ ដាក់វត្ថុទាំងនោះនៅក្នុងប្រអប់មួយ ហើយធ្វើការជាមួយនិងកូនរបស់អ្នក មើលវត្ថុទាំងនោះដោយយកចិត្តទុកដាក់ ហើយពិភាក្សាគ្នាថា តើវត្ថុណាខ្លះដែលផ្តួយបំភ្លឺ បុរាណវត្ថុវិទ្យ ក្នុងការសិក្សាពីវប្បធមិរបស់យើងនៅក្នុងពេលអនាគត។

- នៅសាលារៀន កូនរបស់អ្នកនឹងឃើញទំព័រចេញពីសៀវភៅអាហ្ស្តិច(ចក្រភពមិចសូរីកាំង) ដែលជនជាតិអាហ្ស្តិច ពន្យល់ពីការរស់នៅប្រចាំថ្ងៃរបស់ខ្លួនគេ។ ធ្វើការរួមគ្នាជាមួយនិង កូនរបស់អ្នកធ្វើសៀវភៅប្រហាក់ប្រហែលគ្នាមួយ ដែលអ្នកគូរ ឬសរសេរអំពីអ្វីៗ នៃជីវិត រស់នៅប្រចាំថ្ងៃរបស់អ្នកក្នុងពេលពីរសប្តាហ៍។ ធ្វើការប្រៀបធៀបជាមួយនិងសៀវភៅ អាហ្ស្តិច។ តើមានការប្រហាក់ប្រហែលគ្នា និងការខុសគ្នាយ៉ាងដូចម្តេចខ្លះ?

ការសហការនៅផ្ទះ

Home Involvement

UNIT 8 ប្រជាជន និងទឹកដែង

អ្វីដែលកូនអ្នកកំពុងរៀននៅវគ្គទី៨

នៅក្នុងវគ្គនេះ កូនរបស់អ្នកនឹងសិក្សា អំពីការផ្លាស់ប្តូរដ៏ចំផេងនៅក្នុងប្រព័ន្ធ រដ្ឋាភិបាល នៅសតវត្សទី៧-និង

សតវត្សទី៩។ កុមារា កុមារីនឹង យើញការផ្លាស់ប្តូរផ្សេកបច្ចេកទេស ដែលបង្កើនផលិតកម្ម ផ្នែកចំណី អាហារ និងរបស់ប្រើប្រាស់ផ្សេងៗ ទៀត។ កូនរបស់អ្នកក៏នឹងរុករកការ ផ្លាស់ប្តូរផ្នែកគំនិតដែលគេស្គាល់ថា យុគនៃចលនាបញ្ញារវ ដែលនាំមកនូវ ការសង្កត់ធ្ងន់ទៅលើសិទ្ធិលរដ្ឋ ម្នាក់ៗ។ ជាចុងបញ្ចប់ កូនរបស់អ្នក នឹងសិក្សាពីជវរិភូត៌ពីរ—អាមេរិកាំង និងបារាំង—ហើយនិងយើញហេតុផលដែ លនាំឲាយបដិវត្តន៍ទាំងពីររនេះ មានការបង្កើតច្បាប់រដ្ឋធម្មនុញ្ញរបស់ប្រ ទេស យើង យ៉ាងដូចម្តេច។

សកម្មភាពដែលអ្នកអាចធ្វើនៅផ្ទះ ដើម្បីជួយក្នុងការសិក្សារបស់កូនអ្នក

ជំពូកទី១៧ ច្បាប់ទម្លាប់ និងការពង្រីករបស់ជនជាតិអឺរុប

- ធ្វើការតាមជានប្រទេសមួយដែលបានបិតនៅក្រោមអាណានិគមប្រទេសអង់គ្លេស ឬ ប្រទេសបារាំង។ តើពេលបច្ចុប្បន្ននេះ គេមានរដ្ឋាភិបាលបែបណា? តើនៅក្នុងរបប អាណានិគម គេមានរដ្ឋាភិបាលបែបណា? ពិភាក្សាជាមួយនិងកូនរបស់អ្នក អំពីស្ថានភាព នៃការបិតនៅក្រោមអាណានិគមប្រទេសអង់គ្លេស ដែលបានជួយ និងរាំងអាណានិគម អាមេរិកាំងយ៉ាងដូចម្តេចខ្លះ។

ជំពូកទី១៨ យុគនៃចលនាបញ្ញារវ

- គំនិតដ៏ចំផេងនៃយុគចលនាបញ្ញារវនេះគឺ មនុស្សគ្រប់រូបមានសិទ្ធស្មើរគ្នា។ តើគំនិតនេះមាន ឥទ្ធិពលទៅលើប្រទេសយើងសព្ថថ្ងៃយ៉ាងដូចម្តេច។

ទំនាក់ទំនងរវាងផ្ទះ និងសាលារៀន

The Home-School Link

ឆ្នាំដ៏រំភើបរំជួលខាងមុខមួយជាមួយនិងសតវត្សកន្លងផុតទៅ

ឆ្នាំនេះ កូនរបស់អ្នកបានសិក្សាប្រវត្តិសាស្ត្រសកលលោក ដោយប្រើសៀវភៅសតវត្សកន្លងផុតទៅ។ ការយកចិត្តទុកដាក់គឺ :

- អារ្យធម៌នៅក្នុងប្រទេសអាហ្វ្រិក អាស៊ី អឺរ៉ុប អាមេរិកខាងជើង និងអាមេរិកខាងត្បូង និងឥទ្ធិពលដែលភូមិសាស្ត្រ ការសិក្សា សាសនា អ្នកគ្រប់គ្រង កម្លាំងយោធា មានទៅលើ ការចំរើនលូតលាស់នៃតំបន់ទាំងនេះ
- ប្រៀបធៀបជីវិតរស់នៅរបស់អ្នកស្រែចំការ ពាណិជ្ជករ អ្នកចម្បាំង និងអភិជន នៅក្នុងសតវត្សកន្លងផុតទៅ
- ភាពប្រហាក់ប្រហែលគ្នានៃអារ្យធម៌ និងចក្រភពនៅទីកន្លែងផ្សេងៗគ្នា និងពេលវេលាផ្សេងៗគ្នា
- ការចំរើនលូតលាស់ផ្នែកជំនួញ និងការផ្ទេរការសិក្សារៀនសូត្រទៅវិញទៅមក បានផ្លាស់ប្តូរគំនិតរបស់មនុស្សយ៉ាងដូចម្តេចដែរ។

ពេញមួយឆ្នាំ កូនរបស់អ្នកក៏នឹងអានសៀវភៅដែលមានការពាក់ព័ន្ធទៅនឹងចំណុចដែលរៀបរាប់ខាងលើ ចេញពីផ្នើរដាក់សៀវភៅសិក្សាសង្គមវិជ្ជាហ៉ហ្វតុន មិហ្វិន។

ការរក្សាចំណូលចិត្ត និងការចូលរួមរបស់សិស្ស

ក្នុងគំឡុងឆ្នាំកន្លងទៅនេះ អ្នកបានទទួលលិខិតស្នើសុំផ្តល់យោបល់លើវិធីផ្សេងៗ ដែលអ្នកត្រូវការក្នុងការឧបត្ថមការសិក្សារបស់កូន អ្នកនៅក្នុងកម្មវិធីសិក្សាសង្គមវិជ្ជាហ៉ហ្វតុន មិហ្វិន។ យើងសូមជំរុញទឹកចិត្តអ្នកអោយនៅតែបន្តការឧបត្ថម និងការចូលរួមនេះ។

ដូចអ្នកបានធ្វើឡើងនៅ ក្នុងខែកន្លងទៅនេះ សូមអ្នកបន្តចូលរួមក្នុងការសិក្សាសង្គមវិជ្ជា។ រកមើលឱកាសដើម្បីធ្វើអោយ ការសិក្សារបស់ កូនអ្នកបានប្រសើរឡើង។ ហ្វីលបញ្ចាំង ឯកសារ កម្មវិធីនៅតាមទូរទស្សន៏ ពិពណ៌នៅតាមសារៈមន្ទីរសហគមន៏ និងព្រឹត្តិការណ៍ វប្បធម៌ ការបោះឆ្នោតក្នុងតំបន់ និង សៀវភៅបណ្ណាល័យ គឺជាឱកាសដែលពាំនាំមកនូវប្រវត្តិសាស្ត្រ អោយរស់រវើកឡើង។ ដោយនាំមកនូវព្រឹត្តិការណ៍សំខាន់ៗ ដល់ការយកចិត្តទុកដាក់របស់កូនប្រុស ឬកូនស្រីរបស់អ្នក អ្នកនិយាយទាក់ទងជាមួយកូនអ្នកអំពីជំនឿ ដែលថាការសិក្សាប្រវត្តិសាស្ត្រ គឺពុំមែនគ្រាន់តែជាប្រធាននៃការសិក្សានៅសាលារៀនទេ តែផ្ទុយទៅវិញជាផ្នែកមួយដ៏សំខាន់នៃជីវិតរបស់យើង។

Sự Tham Gia Tại Nhà
The Home-School Link

Vài Hàng Về Chương Trình Dạy Nhân Văn Của Houghton Mifflin

Con em quý vị sẽ bắt đầu một niên học mới theo chương trình Nhân Văn của Houghton Mifflin. Mục tiêu của chương trình này nhằm phát triển kiến thức, khả năng, và giá trị công dân cần thiết cho trẻ hầu chúng có thể trở thành những công dân có tinh thần trách nhiệm trong thế kỷ 21. Điều này được thực hiện bằng cách trình bày các môn học về nhân văn dưới hình thức một câu chuyện kể hấp dẫn về những nhân vật đã làm thay đổi bộ mặt thế giới. Trọng tâm của chương trình là sự tin tưởng học sinh sẽ học hỏi được nhiều nhất khi các em say mê với những gì các em đang học.

Vì chữ chỉ nói lên được một phần của câu chuyện, Chương Trình Nhân Văn Houghton Mifflin đã thực hiện những bộ sách thích thú và hấp dẫn về hình thức tràn ngập những hình ảnh rực rỡ gồm bản đồ, họa đồ, biểu đồ, tài liệu, họa phẩm, tượng điêu khắc, hình vẽ, hình chụp, và di tích lịch sử.

Một niên học sắp tới đầy sự thích thú với Trải Qua Các Thế Kỷ

Năm nay, con em quý vị sẽ học về lịch sử thế giới qua cuốn Trải Qua Các Thế Kỷ. Các trọng điểm sẽ là:

- Các nền văn minh Phi Châu, Á Châu, Âu Châu, và Bắc và Nam Mỹ Châu, và ảnh hưởng của địa lý, kiến thức, tôn giáo, lãnh đạo, và sức mạnh quân sự lên sự phát triển của các nền văn minh này;
- So sánh đời sống nông dân, nhà buôn, quân đội, và quý tộc trải qua các thế kỷ;
- Những điểm tương đồng của các nền văn minh và đế quốc thuộc địa lý và thời đại khác nhau;
- Sự phát triển của mậu dịch và trao đổi kiến thức đã thay đổi tư tưởng con người như thế nào.

Ngoài ra, suốt trong năm, con em quý vị cũng sẽ được đọc những cuốn sách liên hệ trong Tủ Sách Nhân Văn Houghton Mifflin.

Quý Vị Có Thể Giúp Bằng Cách Nào

Suốt trong niên học, chúng tôi sẽ yêu cầu quý vị tham dự vào việc học của con em mình. Thế giới bên ngoài lớp học rất phong phú về lịch sử. Sự khuyến khích, hỗ trợ, và chia xẻ kinh nghiệm sống của quý vị sẽ giúp mở rộng sự học hỏi của con trẻ.

Trong năm, quý vị sẽ nhận được nhiều bản tin tương tự bản tin này. Mỗi bản tin sẽ tóm lược bài vở con em quý vị đang học đến. Bản tin đó cũng sẽ đề nghị những sinh hoạt đặc biệt liên hệ đến mỗi bài học mà quý vị có thể thực hiện với con em mình ở nhà. Các sinh hoạt này được thiết lập để trợ giúp và gia tăng ý nghĩa cho kinh nghiệm học trong lớp. Các sinh hoạt có thể sẽ gồm việc chơi một trò chơi, nghiên cứu một bản đồ, đọc truyện hay báo, hay ghé thăm thư viện gần nhà. Công việc ở nhà này sẽ giúp con em quý vị mở rộng sự hiểu biết và thấy thích thú hơn trong việc học môn Nhân Văn.

Việc Dự Phần Ở Nhà

Home Involvement

UNIT 1 Liên Hệ Với Thế Giới Cổ Thời

Con em quý vị sẽ học gì trong Đơn Vị 1

Đơn vị này sẽ trình bày sự khác biệt quan điểm của chúng ta về thế giới ngày nay với cái nhìn của người xưa đối với thế giới của họ. Khi các xã hội có sự tiếp xúc với nhau, kỹ thuật và tư tưởng lan tràn đi các nơi. Khi học về các nền văn hóa La Mã, Ba Tư, Ấn Độ và Trung Hoa, con em quý vị sẽ được học về sự kiện các sự tiếp xúc trên đã làm các giống dân thay đổi lẫn nhau như thế nào. Trẻ cũng sẽ được thấy các vật dụng thường nhật xưa kia cho ta biết gì về người đã sử dụng chúng—và đời sống của họ có liên hệ thế nào đến đời sống của ta ngày nay.

Sinh hoạt quý vị có thể thực hiện ở nhà để giúp con em mình học hỏi

Chương 1
Quan Điểm Về Thế Giới Thường Biến

- Bảo trẻ xem qua quần áo trong tủ quần áo của các em và làm một danh sách các quốc gia có tên in trên nhãn. Nhắc trẻ gồm luôn cả giầy, dép, áo, quần, mũ nón, và áo khoác ngoài. Cùng đọc lại danh sách và đếm số quốc gia mà trẻ đã tiếp xúc bằng cách mặc các bộ đồ này.

- Trong vòng hai đến ba tuần sau đó, giúp trẻ thực hiện một nhật ký ghi chép số lần và hình thức tiếp xúc giữa người trong gia đình quý vị với những người sống ngoài tiểu bang. Nhật ký có thể gồm thân nhân, bằng hữu, và các liên hệ thương mại hoặc mua sắm. Nhắc nhở cho trẻ biết rằng chỉ cách đây một trăm năm, những sự liên hệ đó rất là khó khăn. Bàn với trẻ về những gì đã giúp cho sự liên lạc ngày nay trở nên dễ dàng hơn.

Chương 2
Các Đế Quốc Cổ Thời

- Chỉ cho trẻ những dinh thự được các tôn giáo khác nhau sử dụng làm nơi thờ phụng trong khu phố hay trong thành phố của quý vị. Nói cho trẻ biết làm thế nào mà các tư tưởng và tín ngưỡng đã được đưa từ nơi này đến nơi khác.

- Nếu quý vị biết một ai đã từng chu du tại các nước khác, hãy thu xếp cho trẻ được phỏng vấn người đó. Khuyến khích trẻ tìm biết người đó đã học hỏi được gì về ngôn ngữ, tập quán, trang phục, và thực phẩm của những người sống tại một phần đất khác trên thế giới.

Việc Dự Phần Ở Nhà

Home Involvement

UNIT 2 Sự Phát Triển Của Hồi Giáo

Con em quý vị sẽ học gì trong Đơn Vị 2

Trong đơn vị này con em quý vị sẽ học về nguồn gốc và sự phát triển của Hồi Giáo, một trong những tôn giáo lớn trên thế giới. Trẻ sẽ tìm hiểu về ảnh hưởng của địa lý lên các xã hội Ả Rập nơi xuất phát đạo Hồi. Trẻ cũng sẽ khám phá sự liên hệ mật thiết giữa Hồi Giáo với Do Thái Giáo và Thiên Chúa Giáo và sẽ học về tiên tri Muhammad.

Sinh hoạt quý vị có thể thực hiện ở nhà để giúp con em mình học hỏi

Chương 3
Nguồn Gốc Hồi Giáo

• Giúp trẻ nhận thấy rằng địa lý vẫn quyết định phần lớn các sinh hoạt của chúng ta. Sống gần nơi sông hồ, núi non, trang trại, sa mạc hay rừng rậm sẽ chi phối cách xử sự của chúng ta. Cùng trẻ soạn một danh sách những sinh hoạt chung trong vùng, ví dụ nhưng câu cá, trượt tuyết, làm vườn, tự hái trái cây, hay dùng xe trượt tuyết. Sau đó làm một bản liệt kê những sinh hoạt khác quý vị không làm được vì địa lý nơi quý vị sinh sống không cho phép.

• Cổ thành Jerusalem là nơi thiêng liêng cho ba tôn giáo khác nhau — Do Thái Giáo, Thiên Chúa Giáo, và Hồi Giáo. Hãy cùng trẻ đọc một cuốn sách, xem một băng hình, hay đọc một số bài vở tại thư viện có giải thích về lịch sử thành phố này và tầm quan trọng của nó.

Chương 4
Đế Quốc Hồi Giáo

• Trẻ sẽ được học về sự rộng lớn và quan trọng của thành phố Bá-Đa vào khoảng năm 850. Bàn luận với trẻ về những điểm đã làm cho Bá-Đa trở nên quan trọng như vậy (nơi đây là một trung tâm về hành chính, thương mại, nghệ thuật và học thuật). Cùng trẻ tìm hai hoặc ba thành phố có cùng mức quan trọng như vậy ở Hoa Kỳ ngày nay.

• Trẻ sẽ được thảo luận về nền văn hóa Hồi Giáo. Giúp trẻ liệt kê những đặc điểm văn hóa — gia đình, tôn giáo, hay sắc tộc — hiện diện trong cộng đồng quý vị. Nói với trẻ về các cách quý vị sẽ làm để tiếp tục các nền văn hóa này.

Việc Dự Phần Ở Nhà

Home Involvement

UNIT 3 Phi Châu Vùng Sahara Hạ

Trong vài tuần tới đây, con em quý vị sẽ học về sự phát triển của các đế quốc Phi Châu ở phía Nam sa mạc Sahara trước khi người Âu Châu đặt chân đến. Trẻ sẽ thảo luận về ảnh hưởng của mậu dịch lên các đế quốc Phi Châu và sự truyền bá Hồi Giáo sang Tây Phi. Trẻ sẽ tìm hiểu cách các sử gia học hỏi về quá khứ của Phi Châu và biết thêm về các cao điểm văn hóa của các xã hội Phi Châu.

Sinh hoạt quý vị có thể thực hiện ở nhà để giúp con em mình học hỏi

Chương 5
Tây Phi

- Chương này thảo luận về tổ chức xã hội gia đình và liên hệ thân thuộc. Giúp trẻ làm một danh sách người thân hiện đang sống gần bên mà quý vị có thể gặp mỗi tuần một lần, mỗi tháng một lần, và vài lần trong năm. Một bên gia đình có ở gần hơn bên kia không? Nơi cư ngụ của thân nhân quý vị có ảnh hưởng gì đến quyết định chọn nơi cư ngụ của quý vị không? Bàn về điều này với trẻ.

- Tại nước ta ngày nay, giống như các nền văn hóa Phi Châu mà trẻ được đọc trong Chương 5, người ta hay dùng chuyện kể để lưu truyền lịch sử. Các câu chuyện quen thuộc này có thể được truyền từ thế hệ ông bà xuống con cháu. Một số chuyện được học ở trường, đọc trong sách, hay chiếu trên truyền hình hoặc phim ảnh. Cùng với trẻ thay phiên nhau liệt kê các câu chuyện mỗi người quý vị đã học được và học được từ đâu. Cùng nhau tưởng tượng ra một câu chuyện mới về gia đình của mình.

Chương 6
Trung Phi và Nam Phi

- Sắt đã đóng vai trò rất quan trọng cho người Nok thời xa xưa. Bảo trẻ làm một danh sách những đồ vật làm bằng sắt trong nhà. Đánh dấu các món được dùng thường ngày.

Việc Dự Phần Ở Nhà

Home Involvement

UNIT 4 Văn Minh Đông Phương

Con em quý vị sẽ học gì trong Đơn Vị 4

Trong vài tuần tới đây, con em quý vị sẽ học về ba đế quốc Á Châu—Mông Cổ, Ô-tô-man, và Mu-gan— cùng sự phế hưng của các đế quốc này. Sau đó trẻ sẽ học về người Trung Hoa cổ thời, người Nhật Bản, và các nền văn minh Đông Nam Á. Sự đóng góp của người Trung Hoa, thí dụ như sự phát triển giấy bạc và chế độ quan lại dựa trên khả năng, sẽ được tìm hiểu, đồng thời với những phát minh của họ như thuốc súng, súng, và la bàn. Con em quý vị cũng sẽ nghiên cứu sự chi phối của địa lý Nhật Bản lên sự phát triển và tôn giáo, Thần Giáo và hai khuynh hướng Phật Giáo, Amiđa và Thiền.

Sinh hoạt quý vị có thể thực hiện ở nhà để giúp con em mình học hỏi

Chương 7
Ba Đế Quốc

- Sự khoan dung đối với các tôn giáo khác đã đóng vai trò rất quan trọng trong sự bành trướng của các đế quốc Á Châu cổ thời. Cùng trẻ thảo một bản liệt kê những điểm có thể khác biệt nếu đất nước quý vị không có những đạo luật bảo đảm sự khoan dung về tôn giáo.

Chương 8
Trung Hoa

- Quý vị có thể giúp con em mình hiểu về sự quan trọng của việc phát triển một ngôn ngữ viết của người Mông Cổ. Cùng với trẻ nêu ra năm điều quý vị không thể thực hiện được nếu không có chữ viết. (Một vài thí dụ: liệt kê thực phẩm cần mua, thanh toán hóa đơn, viết lời chỉ dẫn, làm bản đồ). Thử thực hiện một vài sinh hoạt trên mà không viết ra giấy.

- Những phát minh thực sự mới rất hiếm. Cùng trẻ soạn một danh sách các phát minh quý vị cảm thấy đã đem đến những biến đổi quan trọng. (Một vài thí dụ: điện, máy bay, máy điện toán, thuốc chủng ngừa). Nói chuyện với trẻ về sự khác biệt trong đời sống nếu không có những phát minh trên đây. Cái gì đã được phát minh trong thời của quý vị?

Chương 9
Nhật Bản

- Văn hóa Nhật Bản đã khai triển thơ Hài Cú. Thơ Hài Cú chỉ có 17 âm: Hàng thứ nhất có năm âm, hàng thứ hai bảy âm, và hàng thứ ba năm âm. Cùng trẻ tìm đọc một quyển thơ Hài Cú tại thư viện. Sau đó thay phiên nhau làm thơ Hài Cú tả về gia đình, nhà cửa, hay một vài biến cố quan trọng trong đời.

Việc Dự Phần Ở Nhà

Home Involvement

UNIT 5 Các Xã Hội Trung Cổ

Con em quý vị sẽ học gì trong Đơn Vị 5

Trong đơn vị này, con em quý vị sẽ học về Tây Âu thời trung cổ. Trẻ sẽ so sánh các xã hội trung cổ Nhật Bản với Âu Châu, và được biết tại sao chế độ phong kiến tồn tại lâu hơn ở Nhật Bản. Trẻ sẽ nhận xét ảnh hưởng của tôn giáo lên người Âu Châu thời trung cổ, đồng thời thấy được sự bất đồng ý kiến giữa các nhà lãnh đạo tôn giáo đã đưa đến sự rạn vỡ trong Thiên Chúa Giáo. Sau hết, trẻ sẽ học về cuộc thánh chiến, một loạt những trận chiến giữa tín đồ Thiên Chúa Giáo và Hồi Giáo để đoạt lấy sự kiểm soát Thánh Địa.

Sinh hoạt quý vị có thể thực hiện ở nhà để giúp con em mình học hỏi

Chương 10
Nhật Bản và Âu Châu Phong Kiến

- Các hiệp sĩ Âu Châu và Võ Sĩ Đạo Nhật Bản đều có những luật chi phối cách hành xử của họ. Các điều luật này gồm có phép lịch sự, danh dự, bảo vệ kẻ yếu, và trung thành với chủ của họ. Cùng trẻ làm một bản liệt kê những điều luật cư xử của một vài nhóm người ngày nay, chẳng hạn như hướng đạo, y sĩ, luật gia, hay cầu thủ bóng rổ.

- Bảo trẻ soạn một bản luật cư xử cho một hội, lớp học, nhóm cùng tuổi, đội thể thao, hay gia đình. Yêu cầu trẻ cho biết các điều luật đó và giải thích tại sao trẻ đã chọn chúng.

Chương 11
Âu Châu: Chính quyền, Tôn giáo, và Xung đột

- Ở trường, trẻ sẽ được học rằng vua Sác-lơ-man (Charlemagne) không biết đọc biết viết. Trong thời Trung Cổ sự kiện các vua chúa Âu Châu phải nhờ thư lại hay các lãnh tụ tôn giáo viết giùm những gì họ cần không phải là chuyện lạ. Cho trẻ trải qua kinh nghiệm này bằng cách bảo trẻ bỏ viết trong một thời gian và phải đến nhờ quý vị viết giùm những gì trẻ cần, bất kể điều đó có riêng tư cách mấy. Khi hết thời gian đó, bàn luận về kinh nghiệm đó với trẻ. Sự thuận lợi và bất lợi của sự kiện phải nhờ vào người khác để viết là gì?

- Các thánh đường xây cất trong thời Trung Cổ rất công phu, những công trình khổng lồ có thể đòi hỏi cả trăm năm để hoàn tất. Khuyến khích trẻ đọc một cuốn sách về công trình xây cất một ngôi thánh đường. (Sách của David Macaulay *Thánh Đường: Câu Chuyện Về Cuộc Xây Cất* có thể là một cuốn sách thích hợp).

Việc Dự Phần Ở Nhà

Home Involvement

UNIT 6 Âu Châu: 1300-1600

Con em quý vị sẽ học gì trong Đơn Vị 6

Trong vài tuần tới đây, con em quý vị sẽ học về những biến chuyển quan trọng tại Âu Châu đã dẫn tới thời kỳ Phục Hưng, liên tục qua tới thời kỳ Cải Cách, và đưa tới thời kỳ Âu Châu thám hiểm các phần đất còn lại trên thế giới. Trẻ sẽ khám phá sự việc xét lại các tư tưởng đã được chấp nhận đã tạo nên cuộc cách mạng khoa học, và sự rạn vỡ trong giáo hội Thiên Chúa Giáo.

Sinh hoạt quý vị có thể thực hiện ở nhà để giúp con em mình học hỏi

Chương 12
Thời Kỳ Phục Hưng

• Những lời chỉ dẫn trong cuốn Cẩm Nang Xử Sự, một cổ thư Ý Đại Lợi dạy người ta không nên cài tăm xỉa răng lên tai hay chùi răng bằng khăn tay. Giúp trẻ làm một danh sách những chỉ dẫn cách xử sự tốt ngày nay.

Chương 13
Thời Kỳ Cải Cách Và Cuộc Cách Mạng Khoa Học

• Ở trường, trẻ sẽ được học về khám phá trọng lực của Newton, sự kiện là các vật đều rơi với một gia tốc như nhau, bất kể thể tích hay trọng lượng khác nhau. Thí nghiệm dữ kiện khoa học này với trẻ. Cầm hai vật, một đồng bạc cắc và một miếng giấy vo viên chẳng hạn. Bảo trẻ quan sát thật kỹ khi quý vị thả cả hai vật cùng một lúc. Tìm vài vật khác có trọng lượng và thể tích khác nhau và thay phiên nhau lặp lại thí nghiệm trên.

• Ở trường, con em quý vị sẽ được đọc về sự sợ hãi người ta cảm nhận khi ông Edward Jenner thực hiện cuộc thí nghiệm thử thuốc chủng ngừa đậu mùa. Nói chuyện với trẻ về những khám phá cùng thay đổi về y học mới đã xảy ra trong đời quý vị. Cùng trẻ làm một danh sách những khám phá hay thay đổi về việc chăm sóc sức khỏe hay răng. Nêu những điểm thuận và nghịch trong mỗi khám phá hay thay đổi trong danh sách của quý vị?

Chương 14
Thời Kỳ Thám Hiểm

• Những du ký như của Ibn Battuta và Marco Polo đã khuyến khích nhiều người khác phiêu lưu đến những vùng mới lạ. Cùng với trẻ soạn một bản liệt kê những nơi mà một trong hai quý vị đã nghe người từng du lịch đến đó kể lại.

Việc Dự Phần Ở Nhà

Home Involvement

UNIT 7 Các Nền Văn Minh Mỹ Châu

Con em quý vị sẽ học gì trong Đơn Vị 7

Trong vài tuần tới đây, con em quý vị sẽ học về nguồn gốc và sự bành trướng của các đế quốc đã từng hiện hữu ở Mỹ Châu trước sự xuất hiện của người Âu Châu. Trẻ sẽ tìm hiểu về bốn nền văn minh cổ châu Mỹ và so sánh những tập tục trồng trọt, trao đổi, tôn giáo, và giai cấp xã hội của họ. Trẻ sẽ được biết các sử gia và nhà khảo cổ đã sử dụng các di tích để nghiên cứu về các nền văn hóa cổ xưa.

Sinh hoạt quý vị có thể thực hiện ở nhà để giúp con em mình học hỏi

Chương 15
Các Nền Văn Minh Châu Mỹ Cổ Xưa

• Hỏi trẻ đoán thử làm thế nào người xưa đã khám phá ra rằng cây cỏ có thể mọc lên từ hột. Có thể một người nào đó đã vô ý làm rơi vài hột trên mặt đất và sau đó ý thức ra rằng hột có thể được dùng để trồng trọt. Viết một truyện ngắn hay một bài thơ với trẻ để tả làm thế nào mà ngành nông đã được phát triển.

Chương 16
Hai Đế Quốc Châu Mỹ

• Để giúp trẻ hiểu rõ hơn làm thế nào các nhà khảo cổ học hỏi được từ các di tích, hãy tổ chức một cuộc "khảo cổ tại gia". Nhờ mỗi người trong gia đình góp vào một số đồ vật tượng trưng cho đời sống thường nhật của mình. Đặt tất cả các vật này vào một cái hộp rồi cùng với trẻ quan sát thật kỹ mỗi vật và cho biết mỗi vật đó sẽ nói lên những gì cho một nhà khảo cổ tương lai khi nghiên cứu về nền văn hóa của chúng ta.

• Ở trường, trẻ sẽ được xem qua những trang sách Aztec trong đó người Aztec trình bày về đời sống thường nhật của họ. Cùng với trẻ thực hiện một cuốn sách giống như vậy trong đó quý vị vẽ hoặc viết một điều gì về đời sống thường nhật của mình trong khoảng thời gian hai tuần lễ. So sánh với sách của người Aztec. Có điểm nào giống nhau, và điểm nào khác nhau không?

Việc Dự Phần Ở Nhà

Home Involvement

UNIT 8 Âu Châu: 1600–1789

Con em quý vị sẽ học gì trong Đơn Vị 8

Trong đơn vị này, con em quý vị sẽ học về những biến chuyển trọng đại trong các guồng máy hành chính Âu Châu qua những năm 1600 và 1700. Các em sẽ thấy các tiến triển về kỹ thuật đã làm tăng gia mức sản xuất thực phẩm và các vật phẩm khác. Trẻ cũng sẽ tìm hiểu về những thay đổi trên phương diện tư tưởng, mệnh danh là sự Giác Ngộ, đã đưa đến việc đề cao các quyền lợi của cá nhân. Sau hết, các em sẽ học về hai cuộc cách mạng—Hoa Kỳ và Pháp—và những diễn biến đưa đến sự thiết lập nền Hiến Pháp của chúng ta.

Sinh hoạt quý vị có thể thực hiện ở nhà để giúp con em mình học hỏi

Chương 17
Nền Cai Trị Và Sự Bành Trướng Của Âu Châu

- Tìm hiểu về một quốc gia đã từng là thuộc địa của Anh Quốc hoặc của Pháp. Quốc gia đó nay có nền hành chánh loại nào? Khi còn là thuộc địa chế độ hành chánh của họ là gì? Bàn luận với con em quý vị về sự kiện là thuộc địa của Anh Quốc đã vừa giúp đỡ vừa cản trở các thuộc địa Hoa Kỳ như thế nào.

Chương 18
Sự Giác Ngộ

- Một trong những tư tưởng Giác Ngộ vĩ đại nhất là tất cả mọi người đều có những quyền lợi ngang nhau. Tư tưởng này đã ảnh hưởng thế nào đến đất nước chúng ta hiện nay?

Sự Tham Gia Tại Nhà
The Home-School Link

Một niên học sắp tới đầy sự thích thú với Trải Qua Các Thế Kỷ

Năm nay, con em quý vị đã học lịch sử thế giới qua cuốn Trải Qua Các Thế Kỷ. Các trọng điểm là:

• Các nền văn minh Phi Châu, Á Châu, Âu Châu, và Bắc và Nam Mỹ Châu, và ảnh hưởng của địa lý, kiến thức, tôn giáo, lãnh đạo, và sức mạnh quân sự lên sự phát triển của các nền văn minh này;

• So sánh đời sống nông dân, nhà buôn, quân đội, và quý tộc trải qua các thế kỷ;

• Những điểm tương đồng của các nền văn minh và đế quốc thuộc địa lý và thời đại khác nhau;

• Sự phát triển của mậu dịch và trao đổi kiến thức đã thay đổi tư tưởng con người như thế nào.

Đồng thời suốt trong năm học, con em quý vị cũng đã được đọc các sách liên hệ trong tủ sách nhân văn Houghton Mifflin.

Duy Trì Sự Chú Ý Và Tham Dự Của Học Sinh

Trong suốt năm vừa qua, quý vị đã nhận được những lá thư đề nghị các cách để quý vị có thể giúp cho con em mình học hỏi trong chương trình dạy môn Nhân Văn của Houghton Mifflin. Chúng tôi khuyến khích quý vị tiếp tục sự hỗ trợ và dự phần này.

Như quý vị đã làm trong những tháng trước đây, xin tiếp tục tham dự trong việc học về môn Nhân Văn của con em. Hãy tìm mọi cơ hội để việc học của trẻ được thăng tiến hơn. Phim ảnh, phim tài liệu, chương trình truyền hình, báo chí và tập san, tiểu sử gia đình, các cuộc triển lãm của bảo tàng viện, các sinh hoạt văn hóa và cộng đồng, bầu cử địa phương, và sách báo tại thư viện là tất cả những cơ hội để đem sự sinh động vào sử học. Khi lưu ý con em quý vị đến những diễn biến quan trọng, quý vị đã truyền đạt cho trẻ sự tin tưởng rằng học sử không hẳn chỉ là một đề tài để học ở trường mà hơn thế, đó là một phần quan trọng trong đời sống chúng ta.